ДБ. Т₃·

D1550140

UN MASQUE
D'AMOUR

Kay RICHARDSON

UN MASQUE D'AMOUR

(Love's Turning Point)

Roman traduit de l'anglais
par Sylvie Raguin
et adapté par l'éditeur

EDITIONS MONDIALES
2, rue des Italiens — PARIS-9e

ISBN N° 2-7074-3490-6

CHAPITRE PREMIER

— Je voudrais que tout soit parfait ! dit la jeune femme.

Jennifer West, la plus jeune vendeuse du rayon « articles de mariage » du *Nylander's,* un grand magasin de San Francisco, acquiesça.

— Et je ne suis pas comme certaines, ajouta la cliente ; je n'ai pas beaucoup d'argent à y mettre.

— Un mariage simple mais parfait, en somme ! suggéra Jennifer.

— Oui, oui, c'est cela, mademoiselle ! Je n'aurai qu'une seule demoiselle d'honneur : ma sœur. Et après il y aura une petite réception au *Hiland Inn...*

— Je vois ! Seulement la famille et quelques très bons amis...

Elles continuèrent de discuter ainsi, Jennifer tirant patiemment et avec le plus grand tact de plus amples informations de la future mariée.

Mademoiselle Burnham, le chef du rayon, jetait de temps à autre des coups d'œil en direction de Jennifer et quand la cliente s'éloigna elle s'approcha

d'elle, son visage austère adouci par une expression
amicale inhabituelle.

— Je meurs d'impatience de savoir comment s'est
passé le mariage Collier, dit-elle. On pourrait déjeuner ensemble pour que vous me racontiez tout cela en
détail ?

Le restaurant du *Nylander's* se trouvait à l'entre-
sol et on y servait le personnel aussi bien que les
clients. Par ce beau lundi de la fin d'octobre, il n'y
avait pas grand monde.

Après avoir passé commande, Mlle Burnham fixa
attentivement Jennifer de ses yeux noirs.

— Alors, tout s'est-il bien passé samedi ?

— Oui. La mariée était magnifique ! Tout le
monde a beaucoup admiré sa robe et celle de ses
demoiselles d'honneur. J'ai même entendu plusieurs
invités demander où elles les avaient achetées.

— C'est la meilleure publicité qu'on puisse avoir !
dit Mlle Burham, ravie. Vous êtes-vous amusée à
cette réception ?

— Oui, beaucoup, dit Jennifer, l'air rêveur.

— Je savais que cela vous plairait, une fois sur-
montée votre nervosité !

— Ça a été plutôt rapide. L'ami de mademoiselle
Collier, celui qui est venu me chercher ici pour
m'emmener...

— Ronald Mainwaring ! Il est très beau, n'est-ce
pas ? Vous a-t-il plu ?

— Il a été vraiment très gentil ; il est resté avec
moi pendant toute la réception et après il m'a raccompagnée.

Elle ne dit pas à Mlle Burnham que, chose bien plus extraordinaire encore, Ronald lui avait téléphoné la veille et qu'ils devaient se rencontrer le soir même.

— Les Mainwaring sont de Los Santos, ajouta Mlle Burnham, l'air pensif. Je crois qu'il est architecte...

— Oui, c'est cela.

— C'est nous qui nous étions occupés du mariage de sa tante, Dorinda Latham... Il doit bien y avoir trente-cinq ans de cela !

— Cela me surprendra toujours de voir que vous vous souvenez de tout le monde !

— C'est mon travail, ma chère, et le vôtre aussi. Le mariage de Dorinda Latham a eu lieu bien avant que je n'aie ce poste, bien sûr. C'était madame Steele qui était le chef du service à l'époque ; je suis sûre qu'elle n'a jamais oublié un seul des mariages dont elle s'est occupée. Et j'espère que moi aussi je n'en oublierai aucun.

— C'était très gentil de la part de mademoiselle Collier de m'inviter à son mariage !

— Ça se fait de temps à autre ! (Mademoiselle Burnham haussa les épaules.) Les jeunes filles qui sont sur le point de se marier en arrivent à nous considérer de la même façon que les malades considèrent leur médecin : pendant un instant, nous sommes les personnes les plus importantes au monde. Mais, le mariage célébré, on nous oublie ! Nous, au contraire, nous nous rappelons d'elles !

— Je n'aurais jamais osé aller au mariage de mademoiselle Collier si vous ne m'y aviez poussée, mademoiselle ! Je n'étais jamais allée à une réception aussi mondaine et je n'avais rien à me mettre. C'était très généreux de la part du *Nylander's* de me prêter une robe.

— Ma chère, la maison y gagne : Dieu seul sait combien de futures mariées mademoiselle Collier peut nous faire gagner ! Les Collier sont de très vieux clients fort estimés, Maryann vous a appréciée et vous vous êtes très bien sortie d'affaire : tout a été parfait ! Dans notre métier, il faut une grande sensibilité...

Venant de Mlle Burnham, c'était là un très grand compliment et Jennifer le rapporta à sa mère et à sa sœur, Jane, le soir même, alors qu'elles dînaient dans la cuisine de leur petite maison.

— Bah ! cela n'est pas important ! dit Jane, une adolescente de dix-sept ans. Parle-nous plutôt de ce Ronald Mainwaring ! Où va-t-il t'emmener ce soir ?

— Nous allons simplement rendre visite à un couple de vieux amis de sa famille. Il repart demain pour Los Santos et il avait promis à sa tante d'aller voir ces amis pendant son séjour à San Francisco.

— Ah bon !

Jane était manifestement déçue.

— De toute façon, l'idée que tu sortes avec lui ne me plaît pas tellement ! dit la mère. Tu ferais mieux de rester avec des gens de ton milieu, Jennifer !

— Mais un seul rendez-vous ne signifie absolument rien !

— Ça, c'est ce que j'appelle du sang-froid ! dit Jane. Moi, je dirais qu'un seul rendez-vous avec Ronald Mainwaring en vaut bien douze avec n'importe qui d'autre ! Imagine un peu, ajouta-t-elle l'air rêveur, que vous finissiez par vous marier : vous pourriez m'inviter chez vous...

— Ne dis pas de sottises, Jane ! répliqua Mme West.

Jennifer était absorbée dans ses pensées.

Elle avait été très surprise quand Ronald lui avait téléphoné, la veille. Certes, il avait été son cavalier servant tout au long de la soirée et elle en avait été flattée. Elle avait rêvé d'être une sorte de Cendrillon. Mademoiselle Burnham était la bonne fée... Ronald serait-il le prince ? Et puis elle était revenue à la réalité. Il l'avait raccompagnée. Elle avait pensé qu'elle ne le reverrait pas, mais la veille il l'avait appelée, pour lui dire qu'il souhaitait la rencontrer...

— Je meurs d'envie de le rencontrer ! dit Jane. Toi, Mam, tu n'en as pas envie ?

— J'ai soigné des riches, j'ai soigné des pauvres, je n'ai pas trouvé grande différence entre eux ! répondit la mère. Mais j'aimerais pouvoir quitter mon uniforme avant qu'il n'arrive ! Alors finissons de dîner rapidement.

Jennifer s'habilla avec un soin inhabituel. Elle sortit toutes ses robes de l'armoire, l'une après l'autre.

Elle finit par choisir une robe simple à carreaux blanc et marron, une robe de collégienne sage.

Jane fut déçue par son choix.

— Pourquoi ne mets-tu pas ta nouvelle robe bleue, Jenny ?

— Celle-là ira très bien !

Ce soir, Jennifer voulait être elle-même ! Ronald

savait qu'elle était une fille ordinaire qui travaillait pour gagner sa vie.

On sonna à la porte.

— Alors, qu'attends-tu pour aller ouvrir ?

— Jenny, je ne sais pas si...

Jane avait singulièrement perdu de son assurance !

— N'as-tu pas dit que tu mourais d'envie de le rencontrer ?

— Bien sûr, mais...

— Allez, viens !

Jennifer fit entrer Ronald dans le salon et le présenta à sa mère et à sa sœur. Ils bavardèrent un moment, puis Ronald, qui avait jeté un coup d'œil sur sa montre, dit à Jennifer qu'il était temps de s'en aller.

— Je suis content que ça soit fini ! avoua-t-il quand ils furent dans la voiture. C'est toujours un peu gênant de rencontrer la famille d'une jeune fille...

Jennifer sentit son pouls s'accélérer alors qu'elle examinait son beau profil. Il n'était pas étonnant qu'elle lui eût attribué un rôle de prince ! N'importe quelle fille aurait fait de même : non seulement il était beau comme un dieu, mais il avait aussi de l'éducation et des manières parfaites.

— J'ai bien peur que vous ne trouviez cette soirée un peu ennuyeuse, dit-il, mais je rentre à Los Santos demain et j'avais promis à ma tante de rapporter des nouvelles des Monroe. Comme je tenais à vous revoir...

Jennifer ne voyait vraiment pas comment une soirée en sa compagnie pouvait être ennuyeuse !

Ronald expliqua encore que les Monroe avaient vécu à Los Santos et qu'ils étaient de proches amis de sa famille.

— Mais il y a deux ans, Dorothy, c'est-à-dire madame Monroe, a été très malade... Ils se sont installés à San Francisco pour être près de l'hôpital universitaire.

L'appartement des Monroe était situé au quatrième étage d'un immeuble.

Ce fut Dorothy Monroe qui leur ouvrit.

Celle-ci, une grande femme d'une cinquantaine d'années, avait de magnifiques cheveux blancs qui contrastaient avec ses sourcils et ses cils bruns et ses beaux yeux bleus.

Son mari, Hume, devait être un peu plus âgé.

Ils furent l'un et l'autre très accueillants et Jennifer se trouva à l'aise.

— Comment va ta mère ? demanda Dorothy Monroe à Ronald. Dorinda m'a écrit que c'était maintenant le docteur Meade qui la soignait...

— Le docteur Foreman n'exerce plus.

— Personnellement, bien qu'il soit très jeune, je fais entièrement confiance au docteur Meade !

Dorothy Monroe se tourna vers Jennifer.

— C'était le docteur Meade qui me soignait quand je vivais à Los Santos. Ce pauvre homme a perdu sa femme et l'enfant qu'ils attendaient dans un terrible accident de voiture, il y a deux ans, juste avant que nous ne venions habiter à San Francisco. (Dorothy Monroe regarda Ronald.) S'est-il remarié ?

— Non. On lui reproche d'être marié avec son travail, tout comme on me reproche de l'être !

— Dorinda m'a dit que tu avais beaucoup de travail en ce moment. Tu ne peux savoir comme j'apprécie ses lettres, Ronald !

— Tante Dorinda aime à écrire presque autant qu'elle aime à parler, dit Ronald en souriant.

— Elle pense sans cesse aux autres ! J'ai toujours dit à Hume que Dorinda aurait dû avoir une très grande famille ! (Jennifer remarqua que Hume Monroe ne faisait que suivre attentivement la conversation.) Il est injuste que des femmes qui seraient d'excellentes mères ne puissent avoir d'enfants ! Il est vrai que, dans une certaine mesure, toi et Cleone vous êtes ses enfants ! Alex va-t-il bien ?

Jennifer comprit qu'il s'agissait du mari de Dorinda.

— Il va très bien.

Hume Monroe intervint enfin :

— J'espère que votre père s'est remis de sa crise cardiaque ?

— Il doit se ménager...

— Je suppose qu'il passe beaucoup de temps dans sa serre maintenant qu'il ne va plus à la banque. Le veinard ! Ce qui me manque le plus ici, c'est un jardin... Heureusement, j'ai mes timbres pour m'occuper ! J'en ai quelques-uns de très intéressants à vous montrer !

Ronald dut suivre Hume Monroe...

Quand la porte du bureau eut été refermée, Dorothy Monroe demanda à Jennifer :

— Cela fait-il longtemps que vous connaissez Ronald ?

— Quelques jours seulement, répondit Jennifer avec franchise.

Elle raconta les circonstances de leur rencontre.

— J'aime beaucoup Ronald, poursuivit Dorothy Monroe, et je m'inquiétais pour lui : sa tante m'a dit qu'il travaillait beaucoup trop en ce moment. Il mérite d'être heureux. Tenez-vous beaucoup à lui ?

Jennifer rougit.

— Excusez-moi...

— Cela fait si peu de temps que je le connais, madame !

— Bien sûr. Hume dirait que cela ne me regarde absolument pas, mais je voudrais vous conseiller quelque chose : si vous en veniez à tenir à lui, n'allez pas à Los Santos car...

Dorothy Monroe s'interrompit brusquement : les deux hommes revenaient.

Jennifer et Ronald restèrent encore une heure à bavarder avec leurs hôtes.

— J'espère que vous ne vous êtes pas trop ennuyée ? dit Ronald sur le chemin du retour.

— Je ne me suis pas du tout ennuyée ! Les Monroe sont des gens vraiment très gentils !

Jennifer attendait qu'il lui dît qu'il reviendrait bientôt à San Francisco, mais il ne le fit pas. Elle en fut étonnée, désappointée : elle l'aimait bien et elle était sûre qu'il l'aimait bien. Il avait été son cavalier servant et il avait voulu la revoir... Le souvenir du conseil que lui avait donné Dorothy Monroe lui revint : « Si vous en veniez à tenir à lui, n'allez pas à Los Santos.... » Mais, rentré chez lui, Ronald l'oublierait.

Son au revoir lui parut un adieu...

— Pauvre Jenny ! soupira Jane quelques jours plus tard.

Sa mère leva la tête des haricots qu'elle écossait.

— Pourquoi donc ? demanda-t-elle.

— Elle n'a eu aucune nouvelle de son Ronald et on dirait bien qu'elle ne le reverra jamais...

— Et c'est tout aussi bien ! affirma Mme West en se remettant à la tâche.

— Il ne te plaisait pas ?

— Qu'il me plaise ou qu'il ne me plaise pas n'a aucune espèce d'importance ! C'est à Jennifer que je pense. Je ne voudrais pas qu'on la blesse.

— Et pourquoi la blesserait-on ?

La sonnerie du téléphone retentit.

— Va donc répondre, Jane ! C'est sans doute pour toi !

Quand elle fut seule, Mme West pensa que c'était peut-être un bien que Ronald Mainwaring n'eût plus donné signe de vie. Un homme tel que lui, beau et très riche, pouvait trouver très amusant de jouer avec les sentiments d'une fille simple comme Jennifer ! Cependant, il ne lui avait pas paru être du genre à profiter de sa situation. Elle l'avait plutôt vu comme... un gentleman. Oui, c'était le mot qui convenait !

Alors pourquoi était-elle si inquiète ?

Pendant le peu de temps qu'elle l'avait vu, il lui avait paru détaché de tout, indifférent. Il lui avait même paru malheureux. Et pourtant il avait tout ce qu'il pouvait désirer : la jeunesse, la santé, la beauté, un travail qui le passionnait. Comment pourrait-il rendre quelqu'un heureux si lui-même était malheureux ?

Madame West soupira. Oui, il valait mieux qu'il eût disparu de la scène !

Mais, avait-il disparu définitivement ?

CHAPITRE II

Un mois s'était écoulé. Les jours raccourcissaient et le froid était chaque jour plus vif. Jennifer avait perdu tout espoir de revoir Ronald.

Elle sortait du *Nylander's* un soir quand il l'aborda !

Elle ne chercha à dissimuler ni sa surprise ni son plaisir.

Il lui proposa de dîner en sa compagnie et elle accepta sans hésiter.

Ils entrèrent dans l'un des meilleurs restaurants de la ville, *Chez Charles,* pour y dîner aux chandelles.

Jennifer avait de nouveau l'impression de rêver.

— Vous avez été surprise de me voir ? lui demanda Ronald quand ils furent installés.

— Je croyais que je n'allais plus jamais vous revoir, répondit-elle en toute honnêteté.

— Cela aurait-il eu une grande importance ?

— J'aurais été déçue, dit-elle en le fixant de ses yeux verts. Mais, cela aurait peut-être mieux valu. C'est en tout cas ce que pense ma mère. Nous appartenons à deux mondes totalement différents, Ronald.

Il écarta cette remarque d'un geste impatient.

— Que ressentez-vous pour moi, Jennifer ?

Cette question la déconcerta par sa brusquerie.

— Je ne vous connais pas depuis assez longtemps pour pouvoir répondre à cette question...

Quand on eut enregistré leur commande, Ronald revint sur le sujet :

— Dois-je vraiment vous dire ce que je ressens pour vous, Jennifer ? Je pense que je pourrais arriver à vous aimer beaucoup ! Qu'en dites-vous ?

— J'en dis que vous êtes très impétueux !

Ronald eut de nouveau un geste d'impatience.

— Et comment deux personnes qui vivent à des centaines de kilomètres l'une de l'autre peuvent-elles réussir à se connaître un peu mieux ?

— Elles peuvent s'écrire, Ronald...

— Moi, je n'ai pas la patience d'écrire. Je crois que j'ai une meilleure solution à vous proposer : un séjour à *Meadowood,* notre maison de Los Santos.

La soudaineté de cette invitation étourdit Jennifer.

— Après tout, je pourrais passer un week-end à...

— Ce serait bien trop court ! Il faudrait bien un mois pour que nous sachions ce que nous ressentons réellement l'un pour l'autre.

— Un mois ? Mais, je travaille, Ronald ! Je ne peux pas m'absenter à mon gré ! Je perdrais mon travail !

— Pas du tout ! (Ronald regarda Jennifer fixement.) J'ai parlé de vous à ma tante Dorinda... Ma tante est une vieille amie du propriétaire du *Nylander's* et une lettre d'elle suffirait à vous faire obtenir un congé exceptionnel. Elle m'a promis d'intervenir si vous acceptiez de venir.

Ronald avait pensé à tout !

— Je vous en prie, Jennifer, acceptez de venir !... Je dois vous prévenir que j'espère que vous enverrez une lettre de démission de Los Santos...

Tout cela est-il bien réel ? se demandait Jennifer. Lorsque l'amour paraissait, était-ce ainsi ? Les obstacles étaient-ils balayés si facilement ?

— Je ne sais pas quoi répondre.

— Au moins vous n'avez pas dit non ! (Ronald sourit largement.) Je me contenterai de cela pour l'instant. J'aurais aimé vivre à San Francisco, nous aurions pu nous voir normalement. Mais mon travail est à Los Santos et c'est là-bas que je dois être.

On les servit et ils ne parlèrent plus que de choses sans importance.

Ronald revint sur son invitation alors qu'il raccompagnait Jennifer :

— J'aurais voulu pouvoir rester quelque temps, mais j'ai rendez-vous demain matin à Los Santos. Comme vous le voyez, nous n'arriverions jamais à nous voir bien longtemps. Vous allez réfléchir à ma proposition, n'est-ce pas ?

Emue par son ton suppliant, Jennifer promit de réfléchir.

Jennifer rentra chez elle avec le goût encore frais de ses lèvres posées sur les siennes.

Ni sa mère ni sa sœur n'étaient là.

Elle alla dans la chambre qu'elle partageait avec Jane et se dirigea, rêveuse, vers la glace. Elle examina un instant l'image que celle-ci lui renvoyait.

« Mais qu'est-ce qui l'attire en moi ? » se demanda-t-elle.

La mère était partie quand Jennifer se leva. Elle lui parlerait de l'invitation qui lui avait été faite le soir.

Ce jour-là, elle ne cessa de penser à Ronald.

— Que se passe-t-il, Jennifer ? lui demanda la jeune fille avec laquelle elle déjeunait, fâchée. Tu n'écoutes absolument pas ce que je dis !

— Je suis désolée, Elisa ; je pensais à autre chose...

— A un homme, je parie ?

Jennifer l'admit sans peine.

— Alors, parle-moi de lui !

Mais Jennifer ne voulait pas parler de Ronald avec sa collègue.

— Il n'y a encore rien à raconter, Elisa !

— Tu es donc amoureuse !

— Peut-être !

— Tu ne sais pas si tu es amoureuse ou si tu ne l'es pas ?

— Non, je ne le sais pas ! Il est encore trop tôt...

Durant l'après-midi, Jennifer se posa plusieurs fois la question : était-elle amoureuse de Ronald ?

— Si tu te poses la question, c'est que tu ne l'es

pas ! lui assura sa mère le soir-même, alors qu'elle avait parlé tout haut.

« Du moins pas encore ! » pensa-t-elle.

Jane était chez une amie et elles étaient dans la cuisine.

— Je crois que je finirai par l'aimer ! dit Jennifer.

Madame West regrettait que Ronald eût reparu : elle avait souhaité que sa fille s'éprît de quelqu'un de leur milieu.

— Mais il vit si loin d'ici...

— Cela est un réel inconvénient, ma fille !

— Ronald pense avoir trouvé la solution...

Jennifer rapporta à sa mère ce que lui avait proposé Ronald.

— Aller passer un mois entier chez lui ? s'écria Mme West. Mais, tu ne l'as vu que trois fois ! Que va penser sa famille ?

— Il a déjà parlé de moi et m'a dit que sa tante allait bientôt écrire pour m'inviter personnellement.

— Alors il est amoureux de toi...

— Je crois bien que oui.

— Moi, je crois que tu ferais une grave erreur si tu acceptais cette invitation, Jennifer !

La lettre de la tante de Ronald arriva un matin...
Nous attendons tous avec impatience votre venue à Meadowood, *avait-elle écrit, afin de pouvoir enfin connaître la jeune fille dont Ron nous a tant parlé. Nous espérons de tout cœur que votre mère et votre sœur pourront se libérer et venir passer quelques jours*

ici pendant les vacances de Noël. Nous aimerions beaucoup les connaître aussi.

— Eh bien, je dois admettre que la tante de Ronald Mainwaring est très généreuse, dit Mme West. Il est vrai que, quand on a des serviteurs, on peut se le permettre plus facilement. Mais, pourquoi est-ce sa tante qui nous a écrit et non sa mère ?

— Madame Mainwaring n'est pas très bien portante, répondit Jennifer. Je crois même qu'elle est en partie invalide...

— Qu'a-t-elle donc ?

Infirmière, Mme West s'était aussitôt inquiétée.

— Des problèmes qui concernent les poumons. Ronald m'a dit qu'elle avait séjourné dans un sanatorium...

Jennifer répéta ce que Ronald lui avait confié : la maladie de sa mère était lointaine, mais il fallait qu'elle ménageât ses forces.

— De toute façon, si tu es décidée, je ne pourrai m'opposer à ton départ, Jennifer ! Jane et moi, nous ne pourrons pas y aller : ta tante Betsy reçoit toute la famille chez elle. J'avais prévu de prendre deux semaines de vacances. Jane et moi, nous pourrons partir pour Merced dès que les cours seront terminés.

Le matin, Mlle Burnham appela Jennifer et l'entraîna à l'écart. Elle avait été informée que Jennifer pourrait prendre un congé sans solde au mois de décembre. Son air montrait clairement qu'elle désapprouvait la direction d'avoir donné son autorisation :

au mois de décembre il y avait au *Nylander's* surcroît d'activité...

Jennifer lui expliqua brièvement la raison de son départ et la mention du nom de Mainwaring eut un effet magique.

— Vous avez donc produit une si forte impression sur Ronald Mainwaring ? dit Mlle Burnham, surprise.

Jennifer comprenait parfaitement qu'elle fût étonnée : n'était-elle pas une fille ordinaire ?

Le soir-même, Jennifer répondit à Dorinda Latham qu'elle acceptait l'invitation. Elle relut plusieurs fois sa lettre et, assurée que la tante de Ronald n'y trouverait aucune faute, la mit dans l'enveloppe.

La lettre postée, elle fut prise d'inquiétude : un mois, c'était long !

Elle fit un rêve troublant...

Elle attendait l'ascenseur, au *Nylander's,* au milieu d'autres gens, et, alors qu'elle s'apprêtait à entrer dans la cabine, quelqu'un la tirait par la manche. Dorothy Monroe était là, extrêmement nerveuse. « Je vous conseille vivement de ne pas aller à Los Santos ! » « Vous me l'avez déjà conseillé, madame, mais j'aimerais bien savoir pourquoi je ne devrais pas aller à *Meadowood* ? » Elle voyait alors les lèvres de Dorothy Monroe remuer mais elle n'entendait rien de ce qu'elle disait : une sirène l'en empêchait.

Jennifer se réveilla : une voiture de pompiers passait tout près de là, sirène hurlante.

Alors qu'elle déjeunait en la compagnie de sa mère et de sa sœur, le rêve qu'elle avait fait lui revint et elle repensa au conseil, bien réel celui-là, que lui avait donné Dorothy Monroe.

Et elle devait partir le jour même !

Quand sa mère et sa sœur s'en furent allées, l'une à l'hôpital, l'autre au collège, elle décida d'appeler Dorothy Monroe, sans trop savoir ce qu'elle lui dirait.

Ce fut Hume Monroe qui répondit.

« — Je suis navré, mademoiselle West, mais ma femme n'est pas là. On l'a transportée à l'hôpital il y a quelques jours... »

« — J'espère que ce n'est pas trop grave ? » dit Jennifer, le cœur serré.

« — Hélas ! j'ai bien peur que si. L'emphysème est parfois traître. Mais les médecins disent que le plus dur est passé. Puis-je lui transmettre un message ? Je vais justement la voir vers 14 heures... »

« — Je voulais seulement la saluer, monsieur. »

Jennifer exprima toute sa sympathie à Hume Monroe et le pria de transmettre ses vœux à son épouse.

Jennifer était encore plus inquiète. A lui seul le rêve constituait un avertissement...

Pourquoi ne téléphonerait-elle pas à Dorothy Monroe ? Elle glisserait dans la conversation qu'elle était sur le point de partir pour Los Santos...

Alors qu'elle cherchait le numéro de l'hôpital dans l'annuaire Ronald arriva, et sa seule présence fit disparaître toute son appréhension.

— J'espère que vous n'avez pas encore mangé ? lui dit-il quand ils furent dans la voiture.

— Non. J'étais si nerveuse...

— Je me rappelle comme vous étiez nerveuse la première fois que je vous ai vue, dit Ronald en souriant. J'ai l'impression qu'à chaque nouvelle expérience vous devenez très nerveuse...

— Oui, c'est vrai.

— Beaucoup de gens sont ainsi ! Il y a un très bon restaurant un peu plus loin sur la côte ; j'ai pensé que nous pourrions y déjeuner.

Jennifer acquiesça, ravie, et son rêve troublant s'effaça de sa mémoire. Elle prit la décision de vivre cette expérience comme une agréable aventure. Elle savait que si elle avait refusé l'invitation de Ronald elle l'aurait regretté. « Et si je ne me plais pas là-bas, pensa-t-elle, je pourrai toujours repartir ! »

Le restaurant dominait la baie et elle pouvait voir des bateaux de pêche qui dansaient sur l'eau, survolés par de nombreuses mouettes.

Une serveuse aux cheveux roux s'approcha de leur table.

— Bonjour, bel étranger ! dit-elle à Ronald avec désinvolture. Ça faisait longtemps qu'on ne vous avait pas vu !

Ces quelques mots plongèrent Ronald dans une rêverie et Jennifer s'aperçut que la serveuse était surprise qu'elle fût là. S'était-elle attendue à voir quelqu'un d'autre ? Ronald était mélancolique : était-il venu là avec une autre fille ?

Elle regarda par la fenêtre, pensive.

— Qu'est-ce que cet oiseau bizarre, là-bas, au milieu des foulques ?

— Un grèbe, je crois. Et au bout de la jetée il y a deux pélicans ! Vous les voyez, Jennifer ?

Le stylo que tenait Elaine Mercer était suspendu au-dessus de son bloc.

— Pourriez-vous me relire le tout ? lui demanda M. Whitmore, le directeur de la banque de Los Santos.

Elle relut la lettre.

— Est-ce tout, monsieur ?

— Oui.

Elaine Mercer se leva.

— Un instant, Elaine !

Elaine Mercer se rassit.

— Je m'inquiète pour vous ; je vois que vous n'êtes pas heureuse et si je peux faire quelque chose pour vous...

Elaine Mercer rougit.

— Vous êtes fort aimable, monsieur, mais personne ne peut rien pour moi. J'ai simplement du mal à accepter quelque chose qu'il faudra bien que je finisse par accepter !

— Je pensais que quelques jours de congé vous feraient du bien...

— Je vous remercie, monsieur, mais il vaut bien mieux que je travaille, en ce moment !

Un jeune couple entra dans la banque, qui paraissait embarrassé.

— Excusez-moi, monsieur, mais...

Son bloc-notes à la main, Elaine Mercer s'approcha du couple en souriant.

— Puis-je vous aider ?

L'homme s'éclaircit la gorge.

— Nous voudrions parler au directeur...

— C'est pour un prêt, ajouta sa jeune compagne.

Elaine Mercer les conduisit auprès de M. Whitmore.

Puis elle regagna son bureau pour retranscrire ses notes.

Elle était en train de taper quand elle vit Cleone Mainwaring.

Celle-ci vint directement à elle.

— Peux-tu déjeuner avec moi, Elaine ? Il faut que je te dise quelque chose.

— Oui, bien sûr, dit Elaine Mercer après un instant d'hésitation.

C'était justement l'heure du déjeuner pour Elaine Mercer.

Il y avait un restaurant à quelques dizaines de mètres de là ; elles y allèrent.

Dès que la serveuse eut pris leur commande, Cleone Mainwaring lança :

— Nous allons avoir une invitée très bientôt !

« Comme elle aime les mystères et les intrigues ! » se dit Elaine Mercer en regrettant déjà d'avoir accepté de déjeuner avec la sœur de Ronald.

Elle garda le silence.

— Tu n'éprouves aucune curiosité ?

— Aucune, Cleone !

— C'est une jeune fille que Ronald a rencontrée à

l'occasion d'un mariage, à San Francisco. Elle va demeurer un mois à *Meadowood* !

Elaine Mercer était devenue soudain extrêmement pâle.

— Ronald a demandé à tante Dorinda de lui écrire pour l'inviter, Elaine. Oh ! je suis furieuse contre lui !

— Cela ne regarde que lui, Cleone...

— Il doit croire qu'il est amoureux d'elle !

— Il l'est peut-être !

— Comment peux-tu dire cela avec un tel calme ? Oh ! vous me rendrez folle ! Pourquoi prétendez-vous que tout est fini entre vous deux ?

— Parce que tout est fini, Cleone !

— Je ne le crois pas ! Tu l'aimes toujours et lui aussi t'aime !

— Cleone, je ne voudrais pas perdre ton amitié, mais cesse de te mêler de choses qui ne te regardent pas.

Abasourdie, Cleone Mainwaring dévisagea son amie.

— Tu trouves que je me mêle de ce qui ne me regarde pas ? Ronald est mon frère et tu es ma meilleure amie, vous vous apprêtez à gâcher votre vie et tu voudrais que je reste indifférente ? Ne pourrais-tu pas me dire au moins pourquoi vous vous êtes disputés ?

— Pourquoi ne le demandes-tu pas à Ronald ?

— Je le lui ai demandé ! Mais, il est aussi entêté que toi ! Et voilà qu'il amène quelqu'un ! Si seulement tu me racontais ce qui s'est passé, je suis sûre que j'arriverais à vous réconcilier.

— C'est bien trop tard, Cleone ! répondit tristement Elaine Mercer.

— Si tu ne me dis rien, je ne pourrai rien pour vous. A moins que...

— A moins que quoi ?

Cleone secoua la tête sans rien dire.

« Elle est en train de manigancer quelque chose ! » se dit Elaine Mercer, inquiète.

Quand Jennifer et Ronald sortirent du restaurant, de gros nuages noirs s'amoncelaient à l'ouest et un vent froid soufflait.

— Vous vous sentez mieux maintenant ? demanda Ronald quand ils eurent démarré.

Jennifer lui jeta un coup d'œil étonné et il rit de bon cœur.

— Ce matin, on aurait dit une gosse entrant à l'école : vous paraissiez paniquée et impatiente en même temps.

— C'était un peu ça !

— Dans trois heures nous y serons et vous verrez que vous n'aviez aucune raison de vous inquiéter.

Il faisait chaud dans la voiture, et le plantureux déjeuner fit somnoler Jennifer.

Ronald conduisait très bien, rapidement, certes, mais en douceur. Il avait encore l'air sérieux et préoccupé et semblait réfléchir à quelque problème.

Jennifer avait les paupières lourdes et elle ferma les yeux.

Elle se rappela de sa première rencontre avec

Ronald : ce jour-là aussi elle était pleine d'appréhension, mais il l'avait rapidement mise à l'aise. Elle se souvint avec quelle attention il s'était occupé d'elle. Quand ils avaient quitté la réception, elle le considérait déjà comme un ami. Lui, pensait-il qu'elle pourrait être pour lui autre chose qu'une simple amie ? Etait-il tombé amoureux d'elle dès le premier jour ? Elle avait toujours imaginé que l'amour surgissait ainsi... Deux regards se croisent ; les cœurs semblent sur le point de s'arrêter de battre...

Jennifer ne se réveilla que quand ils furent près de Los Santos.

— Eh bien, quel somme vous avez fait !

Elle se redressa, s'étira.

— Je suis désolée ! Je dors rarement le jour et jamais aussi longtemps ! Mais je n'ai pas très bien dormi la nuit dernière...

— Puisque ce n'est pas parce que vous me trouviez ennuyeux..., dit Ronald en souriant.

Los Santos parut bien triste à Jennifer.

Mais ils dépassèrent la ville.

Dix minutes plus tard ils virent les lumières de *Meadowood* qui brillaient faiblement, au bout d'une allée bordée de petits eucalyptus.

C'était une maison de style victorien et elle rappela à Jennifer les maisons des vieux quartiers de San Francisco. Mais en ville elles étaient regroupées et elles ne donnaient pas cette impression de froideur.

Ronald sortit de la voiture et vint lui ouvrir la portière.

— Soyez la bienvenue à *Meadowood*, ma chérie !
dit-il.

Jennifer eut le sentiment qu'elle ne serait plus la
même après avoir franchi le seuil de cette maison...

« Pourquoi suis-je venue là ? » se demanda-t-elle.

CHAPITRE III

Une bonne aux cheveux bruns tirée à quatre épingles ouvrit la porte.

— Oh ! monsieur Mainwaring, vous arrivez bien tôt ! dit-elle.

Malgré le peu de lumière qu'il y avait dans le hall, Jennifer vit que cette fille d'une vingtaine d'années était très jolie et qu'elle regardait Ronald avec adoration.

— Nous avons bien roulé, répondit Ronald.

Il ordonna à la jeune fille de conduire Jennifer à la chambre qui lui avait été réservée.

— Ah ! Minette, demande à Cuddy de monter les bagages ! lui cria-t-il alors que Jennifer et Minette étaient dans l'escalier.

En entrant dans la chambre, Jennifer eut l'impression de pénétrer dans un studio de cinéma : le vaste lit était abrité par un baldaquin, bleu de roi comme l'étaient le couvre-lit, les lourdes tentures qui encadraient les fenêtres, le tapis de haute laine.

A sa question, Minette répondit à Jennifer qu'il y avait quatre chambres à cet étage.

— La chambre de madame Mainwaring et celle de monsieur Mainwaring donnent sur le hall ; mademoiselle Cleone a celle qui est juste en face de la vôtre ; monsieur et madame Latham ont une chambre et un salon à l'étage du dessus, et monsieur Ronald a aussi sa chambre et son studio à l'étage.

Jennifer ne voyait pas très bien...

Minette ferma les trois grandes fenêtres.

— La salle de bains est de l'autre côté de cette porte, mademoiselle. Je vais vous envoyer Cuddy avec vos valises. Voulez-vous que je revienne vous aider à les défaire ?

— Ce ne sera pas utile ! répondit Jennifer.

Elle n'était pas habituée à avoir des serviteurs et ne savait pas comment elle devrait se comporter avec eux.

Elle fut soulagée de voir sortir Minette.

Elle ôta son manteau en poil de chameau, le suspendit. Puis elle enleva ses chaussures et remua les doigts de pied avant d'aller, pieds nus, à l'une des fenêtres. Elle était logée sur le derrière de la maison et dans l'obscurité elle distingua la silhouette d'arbres dénudés.

Il était surprenant qu'aucun membre de la famille n'eût été là pour l'accueillir ! Elle frissonna devant le paysage sinistre qui s'offrait à elle et de nouveau elle fut prise d'appréhension.

Quand on frappa à la porte, elle sursauta.

— C'est Cuddy, mademoiselle ! Je vous apporte vos bagages !

— Entrez ! dit Jennifer.

Un homme petit et fort, dont le crâne parfaitement chauve était bordé de cheveux blancs, entra. Il
déposa les valises au pied du lit. Il jeta un coup d'œil
circulaire sur la pièce.

— Chaque fois que j'entre ici, je m'attends à la
voir...

Jennifer le dévisagea, intriguée.

— C'était la chambre de madame Latham, la
grand-mère de monsieur Ronald, mademoiselle... Elle
est morte ici, dans ce lit. Regardez derrière vous ; son
portrait est accroché au mur.

Jennifer se retourna et examina le portrait.

C'était celui d'une femme d'âge mûr, au regard
triste, désespéré même, qui avait été fait gauchement.

— Ça donne un peu la chair de poule, hein ? dit
Cuddy. Le visage n'est pas bien rendu ; madame
Latham n'était pas du tout comme ça ; elle était aussi
gaie que l'était mademoiselle Dorinda. Du moins elle
l'était quand mademoiselle Ada a peint ce portrait.

— C'est la mère de Ronald qui l'a peint ?

— Oui. Elle était toute jeune alors et étudiait les
beaux-arts... Cinq ans après que mademoiselle Ada
eut fait ce portrait, madame Latham est tombée dans
l'escalier et s'est cassé la hanche. Elle a dû finir sa vie
confinée dans sa chambre, dans un fauteuil roulant.
C'est pour ça que chaque fois que j'entre ici je
m'attends à la voir... (Cuddy secoua la tête.) Il faut
faire attention à cet escalier, mademoiselle !

Quand l'homme s'en fut allé, Jennifer commença
à défaire ses valises, évitant de regarder le lit où était

morte la grand-mère de Ronald. Pourquoi avait-il fallu que Cuddy lui parlât de cela ?

De temps en temps, Jennifer jetait un coup d'œil vers le portrait. Ce regard tourmenté... Peut-être cette expression de la grand-mère n'était-elle due qu'à la maladresse du peintre ?

Mary Cuddy, la cuisinière et gouvernante de *Meadowood,* était en train de laver des légumes quand son mari entra dans la cuisine.

— Eh bien, elle est venue ! dit celui qu'on n'appelait que par son nom.

Au léger tremblement de sa voix, Mary Cuddy comprit qu'il avait bu. Ses périodes d'abstinence étaient de plus en plus courtes. Elle hésita entre la colère et la curiosité. Ce fut la curiosité qui l'emporta.

— Tu l'as vue ?

— J' l'ai vue et j' lui ai parlé.

— Comment est-elle ?

— Assez jolie, à mon avis ! M'sieur Ronald sait bien les choisir ! Jeune et encore verte, un peu effrayée... Peut-être bien qu'elle s' demande pourquoi elle est venue ?

— Elle est là pour un bon bout de temps, dit sombrement Mary Cuddy en retournant à ses légumes.

— Qu'est-ce qui te fait dire ça ?

Mary Cuddy haussa les épaules.

— Ils vont sûrement vouloir un feu de cheminée, dit-elle. Tu ferais bien d'aller chercher du petit bois.

— J'ai tout préparé !

Cuddy alla à la cuisinière, souleva le couvercle d'une casserole et renifla profondément l'odeur qui se dégagea.

— Tu ne pourrais pas trouver quelque chose à faire dehors ?

Mary Cuddy détestait qu'il y eût quelqu'un d'autre dans la cuisine.

— J'ai fini mon travail ! J' vais aller écouter les nouvelles dans notre chambre.

« Et boire un coup ! » pensa Mary Cuddy. Mais elle ne dit rien. A quoi cela aurait-il servi ?

Il sortit et elle s'interrogea alors : pourquoi la tante de Ronald avait-elle invité cette jeune fille ? Ronald avait dû le lui demander. Elle cédait toujours à ses caprices...

Mais, ce n'était pas le moment idéal pour recevoir quelqu'un : les vacances approchaient et Ronald était très occupé. « Et il y a cette autre histoire ! » se dit-elle encore. Non, ce n'était vraiment pas le moment.

Après avoir défait ses valises, Jennifer se doucha et se prépara pour le dîner. Elle mit un chemisier blanc à manches longues et une large jupe à fleurs qui soulignait sa taille mince.

On frappa à nouveau à la porte.

Jennifer se regarda dans la glace pour prendre un peu d'assurance avant d'ouvrir.

Elle devina immédiatement que la jeune femme qui entrait était Cleone, la sœur de Ronald, bien qu'elle ne ressemblât pas à celui-ci. Ronald était grand alors qu'elle était petite ; il était blond et elle était brune, avait un physique tout à fait classique alors que sa sœur avait un charme féerique.

— Je suis Cleone ! dit la visiteuse avec un sourire. Je suis navrée de n'avoir pu être là pour vous accueillir ! J'ai été retenue au magasin...

Cleone s'assit sur le lit sans plus de façons et regarda autour d'elle en pinçant son petit nez.

— Cette chambre est affreuse ! Je ne comprends pas pourquoi maman voulait qu'il y eût tant de bleu ! C'est vraiment déprimant, tout ce bleu !

Elle examina Jennifer avec un certain intérêt.

— Je ne vous imaginais pas du tout comme ça ! Je croyais que vous seriez du même type qu'Elaine.

— Elaine ?

— Ronald ne vous a rien dit d'elle ? Je n'aurais peut-être pas dû vous en parler... Mais, vous auriez su bientôt ! Dans une petite ville comme Los Santos, tout se sait !

— Elaine a été l'une des amies de Ronald, si je comprends bien ?

— Oh ! pas n'importe laquelle ! Beaucoup de filles ont été amoureuses de Ronald, mais Elaine a été la seule qui l'a « intéressé ». Avant vous, bien sûr !

— Je vois ! se contenta de dire Jennifer.

— C'est pourquoi je m'attendais à ce que vous lui ressembliez...

« Je ne dois pas lui demander comment est Elaine ni ce qui s'est passé entre elle et Ronald ! » pensa Jennifer.

— Pourtant, vous me rappelez quelqu'un...

— Ah bon ? Qui donc ?

— Quelqu'un qui habitait à Los Santos !

Cleone semblait déçue que Jennifer ne l'eût pas interrogée sur Elaine.

Elle se leva.

— Si vous êtes prête, ma chère... Ronald est probablement en train de faire les cent pas dans le salon, impatient de vous présenter à tout le monde.

Quand elle pénétra dans le salon, Jennifer constata que Ronald était fort calme...

Il regarda Jennifer d'un air appréciateur, la prit par la main et l'entraîna vers l'homme et la femme qui étaient assis sur un canapé, dans un coin du salon.

— Tante Dorinda, oncle Alex, je vous présente Jennifer !

Dorinda Latham, une petite femme brune bien en chair, prit la main libre de Jennifer.

— Que vous êtes jolie, Jennifer ! Sachez que nous sommes très contents de vous recevoir !

Alex Latham s'était levé. Il était de taille moyenne, paraissait effacé, mais il avait un regard pénétrant.

Dorinda Latham tapota le canapé.

— Asseyez-vous à côté de moi, ma chère ! Les parents de Ronald seront là dans un moment. En attendant, je veux tout savoir de vous !

— Il n'y a pas grand-chose à dire ! répondit Jennifer en s'asseyant.

— Comme c'est curieux que vous travailliez au *Nylander's* ! Horace et Ethel Nylander sont de très

vieux amis de la famille. Et Ronald m'a raconté que
vous vous étiez rencontrés au mariage Collier...

Jennifer acquiesça, réchauffée par la chaleur de
cette petite femme rondelette. Elle savait que la mère
de Ronald avait été bien malade et pendant longtemps
et que c'était la tante Dorinda qui avait pratiquement
élevé Ronald et Cleone. Ronald lui avait dit qu'il
aimait énormément sa tante et elle était soulagée de
voir que celle-ci était une personne simple, et qu'elle
semblait l'apprécier.

— Et imaginez-vous que Ronald, ce mauvais garçon, ne voulait pas aller à ce mariage ! J'ai dû insister
pour qu'il y aille ! Il était à San Francisco pour son
travail, voyez-vous. Nous étions tous invités, mais
nous ne pouvions faire le voyage. La famille devait
être représentée !

Dorinda Latham ne mit fin à son gai bavardage
que lorsque les parents de Ronald arrivèrent.

Jennifer fut prise de pitié pour la mère de Ronald :
son regard hagard, son visage décharné, montraient
bien qu'elle souffrait.

Ada Mainwaring avait dû être une très belle
femme cependant.

La main qu'elle tendit à Jennifer était froide et
moite.

— Vous ressemblez à quelqu'un, dit-elle d'une
voix éraillée et stridente qui surprit Jennifer. (Elle
regarda les autres.) A qui ressemble-t-elle ?

— A partir d'un certain âge, tous ceux que nous
rencontrons pour la première fois nous rappellent
quelqu'un, répondit Dorinda en souriant.

Comme s'il voulait compenser les manières brusques de sa femme, Michael Mainwaring serra la main à Jennifer avec chaleur. Il paraissait ravi que celle-ci fût là...

Cet homme qui devait approcher de la soixantaine avait quelque prestance.

Minette apporta des verres et une bouteille de xérès.

Michael Mainwaring porta bientôt un toast en l'honneur de Jennifer.

Jennifer avait craint que le dîner ne fût embarrassant, mais elle fut à l'aise, cela grâce surtout à Dorinda Latham et à Ronald, qui l'entouraient d'attentions. Ada Mainwaring et Alex Latham furent parfaitement silencieux. Michael Mainwaring participait à la conversation, mais comme il était dur d'oreille...

— Alors, ce n'était pas si terrible ? dit Ronald à Jennifer lorsqu'ils furent seuls dans le salon.

— Tout le monde a été très gentil avec moi, dit-elle.

Et c'était presque vrai. Seule la mère de Ronald ne l'avait pas accueillie chaleureusement. Mais elle était en si mauvaise santé...

— Vous les avez tous séduits, Jennifer ! Ma tante Dorinda a passé dans votre camp !

— J'espère qu'il n'y aura pas une bataille de camps ! murmura Jennifer.

— Que voulez-vous dire ?

— Qu'il pourrait y avoir mon camp et... celui d'Elaine.

Elle attendait sa réaction, mais il ne manifesta qu'une légère impatience...

— Je vois que Cleone n'a pas perdu de temps ! Que vous a-t-elle dit, au juste ?

— Seulement qu'Elaine avait occupé une place importante dans votre vie.

— Le fait est, Jennifer ! Vous l'auriez su tôt ou tard. Mais Cleone n'aurait pas dû bavarder et j'ai bien l'intention de le lui dire !

Jennifer n'avait aucune envie de créer des problèmes entre le frère et la sœur.

— Si tout est fini, Ronald, pourquoi en faire une telle histoire ?

— Si ce n'était pas fini, vous aurais-je invitée à *Meadowood* ? Mais, ne pourrions-nous pas parler d'autre chose ?

Jennifer en était d'accord, étant rassurée.

Elle l'interrogea sur Cuddy, car il y avait quelque chose en celui-là qu'elle n'aimait pas, instinctivement. Elle lui demanda depuis combien de temps il travaillait à *Meadowood*.

— Cuddy est ce que l'on pourrait appeler un vieux serviteur de la famille, répondit Ronald. Mais à dire vrai il est très loin de mériter son salaire et on ne le garde qu'à cause de sa femme qui est une merveilleuse cuisinière et aussi parce que maman l'aime bien. Elle le connaît depuis qu'elle est toute petite.

— Votre mère est-elle bien, Ronald ? Elle était si calme...

— Elle est toujours comme ça. Nous, nous y sommes habitués. Peut-être est-elle ainsi parce que tante Dorinda est prolixe !

Ils parlèrent pendant une heure environ.

L'odeur du bois de pommier qui brûlait dans la cheminée avait envahi la pièce ; le feu projetait de grandes ombres sur les murs et des candélabres dispensaient aussi de la lumière.

Tout en bavardant, Jennifer repensait à la soirée. A l'exception de la mère de Ronald, tous avaient été aimables. Par moments, elle avait cependant cru percevoir une certaine tension...

Dès qu'elle se fut couchée — les draps étaient glacés —, Jennifer fut prise de la nostalgie de chez elle.

Elle pensa à la grand-mère de Ronald qui était morte dans ce lit et fut contente qu'il fît trop sombre pour qu'elle vît le portrait.

Elle ne réussit pas à s'endormir.

Il était peut-être 1 heure quand elle entendit un bruit de pas pesants.

Quelqu'un s'arrêta devant la porte de sa chambre...

Puis il repartit.

CHAPITRE IV

En se levant, Jennifer remarqua immédiatement l'enveloppe blanche qu'on avait glissée sous sa porte. Un mot de Ronald ? Elle en sortit une feuille de papier sur laquelle était écrit :

VOUS N'AURIEZ PAS DÛ VENIR !
PARTEZ IMMÉDIATEMENT !
VOUS ÊTES EN DANGER !

Ne s'agissait-il pas d'une farce d'un goût extrêmement douteux ? Qui aurait pu faire cela et pourquoi ?

Elle se laissa tomber sur son lit et examina attentivement les quelques mots, espérant pouvoir découvrir un indice qui lui permettrait d'identifier l'auteur du message.

Des membres de la famille s'étaient-ils alliés ?

Non, une seule personne avait rédigé ce laconique message, quelqu'un qui ne voulait pas qu'elle restât à *Meadowood*.

Dorothy Monroe lui avait conseillé de ne jamais se rendre à Los Santos...

Alors qu'elle se trouvait sous la douche, Jennifer

passa en revue ceux qui auraient pu lui envoyer ce message.

Minette aurait pu le faire. Mais, pour quelle raison l'aurait-elle fait ?

Cuddy ? Que pouvait lui importer qu'elle fût là ?

Ada Mainwaring ? Elle l'avait accueillie avec froideur, mais elle était si malade...

Le père de Ronald ? Lui s'était montré très gentil, mais n'était-ce pas pour dissimuler ?

Alex Latham ? Bah !...

Cleone ? Celle-là ne lui avait-elle pas joué un tour de gamine pour marquer sa sympathie pour Elaine ?

Et Dorinda Latham ? Non, ce ne pouvait être elle : elle était si gentille...

Jennifer sortit de la salle de bains, s'habilla.

Dans un moment elle rencontrerait sans doute la personne qui lui avait écrit et bavarderait aimablement avec elle !

Ronald ne saurait-il pas découvrir le coupable ? Mais elle répugnait à l'informer ! Il le faudrait bien, pourtant ! Elle le ferait dès qu'ils seraient seuls.

Elle mit le message dans le tiroir du haut de la commode, sous une pile de linge.

Elle croisa Cuddy en haut de l'escalier, qui portait un carton.

— Des affaires pour la vente de charité de madame Dorinda, dit-il. J'espère que vous avez bien dormi, mademoiselle ?

— Oui, très bien, merci, répondit Jennifer en évitant son regard.

— Faites attention dans l'escalier, mademoiselle !

Au pied de l'escalier Jennifer hésita un instant, puis elle alla à la salle à manger. Elle constata que le couvert n'avait pas été mis.

Elle entendit du bruit, qui venait de la cuisine.

Elle s'approcha et entendit quelqu'un parler d'une voix aiguë...

— Ne t'occupe pas de ça ! Reste loin d'elle si tu ne veux pas te retrouver dans de beaux draps !

Une porte claqua.

Jennifer se décida à entrer.

Mary Cuddy était debout près de la cuisinière.

— La salle de déjeuner est sur votre droite, mademoiselle, dit-elle.

— Est-ce que je ne pourrais pas déjeuner ici ?

Mary Cuddy sourit.

— Cela m'évitera bien du travail, mademoiselle ! Que voulez-vous prendre ?

— Un jus de fruits, des toasts et du café, s'il vous plaît.

— Mince comme vous êtes...

Jennifer s'assit à la table de cette pièce accueillante.

Mary Cuddy fit quelques tranches de pain, les plaça dans le grille-pain, et sortit une assiette du réfrigérateur.

— De la confiture de fraises ! dit-elle. Je l'ai faite moi-même et vous devriez la trouver bonne !

— Comme cette pièce est agréable !

— Quand je suis arrivée, j'ai dit à madame Dorinda que je ne resterais pas si on ne modernisait pas la cuisine. Monsieur Ronald n'était qu'un jeunot à l'époque, mais c'est lui qui a dessiné les plans ! Vous remarquerez que madame Dorinda aime à être obéie, mais elle savait qu'il n'était pas facile d'avoir de bons domestiques...

— Cela fait longtemps que vous travaillez ici ?

— J'ai l'impression de n'avoir jamais travaillé qu'à *Meadowood,* mademoiselle ! Quand nous sommes arrivés, madame Ada et madame Dorinda étaient encore des jeunes filles. En ce temps-là, c'était une maison heureuse ! (Mary Cuddy soupira.) La maladie, mademoiselle, ça change une maison !

Pensa-t-elle que Jennifer était une étrangère ? Elle continua, sur un ton totalement différent...

— Cuddy et moi, nous sommes arrivés juste après notre mariage. C'était l'époque de la Dépression [*] et il n'y avait guère de travail, je peux vous le dire ! Nous nous sommes estimés heureux de trouver trois bons repas par jour, un toit et un peu d'argent à dépenser en plus. Mais le moment arrive toujours où une femme veut avoir sa maison, même si celle-ci n'est qu'une petite caravane !

— Votre confiture est vraiment délicieuse !

Un sourire éclaira le visage de Mary Cuddy.

— Je fais toutes mes confitures et les gelées moi-même, mademoiselle ! Je vous montrerai les rubans bleus que j'ai gagnés !

Mary Cuddy retourna à ses fourneaux quand Ronald entra.

(*) Période qui s'ouvrit le 24 octobre 1929, avec l'effondrement des cours de la bourse de New York, et qui fut marquée par la baisse de la production, par la baisse des prix, par la multiplication des faillites et par l'extension du chômage.

Celui-ci déposa un baiser sur la joue de Jennifer.

— Dès que vous aurez terminé, je vous ferai faire le tour du propriétaire, dit-il.

— Je croyais que vous étiez parti pour travailler, Ronald.

— Comme c'était votre premier jour à *Meadowood*...

Jennifer monta à sa chambre pour y prendre son manteau.

Elle regarda par la fenêtre. Il ne faisait pas beau. Le jardin était détrempé et les parterres de fleurs avaient piètre mine.

— J'aurais aimé que vous fassiez connaissance avec *Meadowood* au printemps, dit Ronald alors qu'ils se promenaient dans le jardin. Les lupins et les boutons d'or forment un véritable tapis jusqu'au pré.

Jennifer avait du mal à imaginer ce spectacle en regardant le jardin détrempé. Ronald précisa qu'un seul des dix hectares de terre de *Meadowood* était cultivé et que la propriété finissait là où commençait le bois.

— Cela fait longtemps que votre famille vit ici ?

— Mes grands-parents se sont installés là au début des années vingt.

— Ah bon ? Je croyais la maison bien plus vieille !

— En fait, mon grand-père l'a bâtie d'après la maison de son enfance. Il voulait surprendre sa fiancée... Mais la surprise n'a pas été très agréable ! Voyez-vous, ma grand-mère était une femme très moderne.

— Cuddy m'a parlé de son accident...

— Même cela, elle l'a bien pris. Jusqu'à la fin elle a été gaie et aimable, dirigeant tout depuis la chambre rose, comme on l'appelait alors. Ma mère l'a fait refaire en bleu après la mort de ma grand-mère... A mon avis elle a eu tort. Vous ne trouvez pas cela écrasant ?

— Un peu !

Jennifer avait du mal à concilier l'image que Ronald venait de lui donner de sa grand-mère, une personne gaie, avec le portrait qui était accroché au mur de la chambre.

Ils étaient arrivés à la limite de la propriété quand Jennifer parla du message.

Ronald la regarda avec incrédulité.

— C'est incroyable ! Pourquoi ne m'en avez-vous pas parlé tout de suite ?

— J'aurais aimé ne pas avoir à en parler du tout...

— Vous avez ce message sur vous ?

— Non. Je l'ai laissé dans ma chambre.

— Je découvrirai bien qui a fait ça ! s'écria Ronald sur un ton rageur.

— Ronald, soyez prudent, je vous en prie ! Une seule personne a écrit cette lettre ; n'allez pas accuser les uns et les autres !

Jennifer avait du mal à le suivre à présent.

— Laissez-moi m'occuper de cela, Jennifer !

— Je ne veux pas causer de problèmes et...

— Je prends tout ça en charge, Jennifer !

— Ma présence déplaît à quelqu'un, mais...

— Cela ne devrait pas ! Vous êtes mon invitée et

cela devrait suffire à vous faire accepter. Et je vais y veiller !

Jennifer était à bout de souffle quand ils arrivèrent à la maison.

Mary Cuddy était en train d'éplucher des pommes de terre et elle leur jeta un regard curieux alors qu'ils traversaient la cuisine.

Dans l'entrée, Ronald se tourna vers Jennifer.

— Allez chercher cette lettre ! Je vous attendrai dans la bibliothèque !

Il lui montra du doigt la porte de la bibliothèque.

Le cœur serré, Jennifer monta à sa chambre.

Quand elle y fut, elle la trouva encore plus oppressante.

Elle se dirigea vers la commode en évitant de regarder le lit, ouvrit le tiroir du haut.

Quelqu'un avait fouillé dans ses affaires ! Et le message n'était plus là !

Elle ouvrit les autres tiroirs. On y avait fouillé aussi et sans aucune précaution...

« Je ne peux pas rester ici ! » pensa Jennifer.

Elle descendit rapidement et ouvrit toute grande la porte de la petite bibliothèque.

Ronald n'était pas seul. Son oncle se trouvait en sa compagnie, un livre à la main.

— Tiens, voici Jennifer ! dit Alex Latham en la dévisageant.

Elle se demanda s'il ne cherchait pas à deviner ce qu'elle ressentait...

— Je vais vous laisser !

Quand la porte se fut refermée sur l'oncle Alex,
Ronald prit Jennifer par la main.

— Montrez-moi cette lettre, Jennifer !

— Elle... Elle a disparu !

— Disparu ?

Jennifer regarda Ronald.

— On a fouillé dans les tiroirs de la commode,
Ronald. On a trouvé le message dans l'un d'eux et on
l'a pris...

Ronald lâcha sa main.

Pendant un instant, Jennifer eut l'impression qu'il
ne la croyait plus.

— Vous auriez dû être plus prudente, Jennifer !

— Je ne m'attendais pas à ce qu'on vienne fouil-
ler dans ma chambre !

— Bien sûr ! (Ronald posa la main sur l'épaule de
Jennifer.) Mais, vous tremblez !

— J'ai peur ! avoua Jennifer.

— Jennifer, je suis navré ! Mais j'aimerais que
vous fassiez quelque chose pour moi : que vous
oubliiez tout ça. Je finirai bien par savoir qui est
l'auteur de ce message et je le mettrai à la raison ! J'ai
déjà parlé à...

— A votre oncle ? Vous croyez que c'est lui ?

— Bien sûr que non ! L'oncle Alex est inoffensif,
cela se voit tout de suite. Mais je lui ai parlé, pensant
qu'il pourrait m'aider à y voir clair.

— J'aurais préféré que vous ne lui disiez rien,
Ronald ! Votre tante va savoir et c'est une bavarde...

— Jennifer, calmez-vous ! Je connais mon oncle

et vous ne le connaissez pas. Il ne dira rien à ma tante !

— J'espère que vous ne vous trompez pas, Ronald...

— Ne voulez-vous pas me faire confiance ?

Elle le dévisagea. Oui, bien sûr qu'elle lui faisait confiance ! Sinon elle ne serait pas venue à *Meadowood* !

— Je vous fais confiance, Ronald !

— Alors laissez-moi m'occuper de cette histoire comme je l'entends ! (Ronald jeta un coup d'œil sur sa montre.) Je regrette de devoir vous laisser, Jennifer, mais j'ai un rendez-vous à 11 heures, un rendez-vous important. Nous reparlerons de tout cela ce soir. Ça va ? Vous vous sentez bien ?

— Oui, merci.

Il se pencha, posa ses lèvres sur les siennes, puis il partit.

Jennifer se mit à examiner les livres. Un rayon entier était réservé aux livres d'architecture. Elle en prit un et s'assit dans un confortable fauteuil. La lecture lui ferait-elle oublier ses soucis ?

Elle parcourut le livre, mais il était bien trop technique pour retenir son attention.

Elle examina alors les dessins et essaya de déchiffrer les annotations écrites par Ronald dans la marge. Cela la calma.

Il y avait sur le bureau de quoi écrire. Elle avait promis à sa mère et à sa sœur de leur donner de ses nouvelles rapidement... Elle s'installa.

Elle fit une description de *Meadowood,* parla des parents de Ronald, des domestiques.

Elle relut sa lettre : c'était parfait, elle avait réussi à ne pas montrer son angoisse.

Elle la mit sous enveloppe, la timbra, inscrivit l'adresse et alla la déposer sur la petite table de l'entrée. C'était là que l'on mettait le courrier à poster et il y avait déjà plusieurs autres lettres.

Alors qu'elle s'éloignait, on sonna à la porte.

Elle ouvrit.

Un homme brun aux yeux gris-vert, qui avait à peu près l'âge de Ronald, lui apparut. Il sembla surpris de la voir et ils restèrent silencieux durant un certain temps.

L'homme se présenta enfin :

— Bonjour, mademoiselle ! Je suis le docteur Meade. Vous devez être la fiancée de Ronald ? On m'a dit que vous resteriez ici un mois.

Jennifer avait envie de faire savoir au médecin qu'elle n'était pas la fiancée de Ronald mais une simple amie. Mais quelle importance cela aurait-il pour lui ?

Pourquoi l'avait-il dévisagée si soigneusement ?

Et pourquoi son cœur battait-il la chamade ainsi ?

Elle se souvint que Dorothy Monroe lui avait parlé du Dr Meade, mais elle ne se rappela pas ce qu'elle en avait dit.

Elle n'avait pas encore prononcé un mot. Le Dr Meade n'allait-il pas la croire muette ?

— Je viens voir madame Mainwaring, dit le Dr Meade.

— Dois-je vous annoncer, docteur ? réussit enfin à dire Jennifer.

— Ce n'est pas la peine, mademoiselle : elle m'attend.

Il passa devant elle et alla à l'escalier.

Jennifer le regardait encore quand Mary Cuddy apparut.

— C'était... le docteur Meade, bredouilla Jennifer.

— Où est donc Minette ? (Mary Cuddy avait l'air furieux.) C'est elle qui doit répondre quand on sonne ! Je ne peux pas être partout !

Elle rentra dans sa cuisine en grommelant et Jennifer monta, embarrassée de s'être comportée si stupidement.

Elle avait rougi sous le regard du Dr Meade. Mais surtout, elle était restée muette comme une carpe !

Que lui était-il donc arrivé ?

Le médecin était entré dans la chambre d'Ada Mainwaring et avait laissé la porte légèrement entrebâillée et Jennifer entendit la malade lui demander, d'une voix étonnamment forte, qui l'avait envoyé chercher.

— Je sais que ce n'est pas Michael : je le lui ai interdit. C'est Dorinda, hein ? Que d'histoires ! J'ai simplement mangé quelque chose hier soir qui ne m'a pas réussi et j'ai préféré rester couchée. Mais, Minette peut vous dire que j'ai pris un bon petit déjeuner...

Jennifer, ne voulant pas être indiscrète, continua son chemin.

Elle allait ouvrir la porte de sa chambre quand Dorinda Latham apparut, ses nombreux bracelets cliquetant.

— Je me demandais où vous étiez passée, ma chère petite !

Elle ajouta, à voix basse, en regardant par-dessus son épaule :

— Cette pauvre Ada a passé une bien mauvaise nuit !... Dès que j'aurai parlé au médecin, j'irai en ville : j'ai quelques objets à donner pour une vente de charité. Aimeriez-vous venir avec moi ? Vous feriez connaissance avec Los Santos...

— Je viendrai ! s'écria Jennifer.

Elle se rendit compte alors qu'elle avait craint de devoir passer toute la journée à *Meadowood*.

— Je vous attendrai en bas.

Jennifer alla chercher son manteau.

En sortant de sa chambre, elle entendit des voix. Elle se pencha et vit Dorinda Latham et Cleone qui discutaient.

— C'était nécessaire, Cleone, ou je ne l'aurais pas appelé !

— Cela ne fait que la troubler ! Elle allait tellement mieux et voilà que...

Cleone s'interrompit en voyant Jennifer.

— Ce qui est fait est fait ! ajouta-t-elle.

Elle agita ses clés de voiture dans la direction de Jennifer, puis elle s'en alla.

Dorinda Latham expliqua à Jennifer que Cleone travaillait au magasin de poteries d'Alex.

— Mon mari a son atelier dans l'arrière-boutique. Alex est très doué, mais il n'a pas le sens des affaires. Et c'est là qu'intervient Cleone : elle dirige effectivement le magasin. Elle a le sens des affaires.

L'église était dans la vieille ville, à deux pas de la rue commerçante. Elle était très haute, avait deux flèches, alors que la grande salle où devait avoir lieu la vente de charité, juste à côté, était un bâtiment assez bas. Dorinda Latham indiqua que cette construction moderne avait été conçue par Ronald.

Des femmes se trouvaient devant.

— Pourquoi ne viendriez-vous pas avec moi ? dit Dorinda Latham. Vous rencontreriez des gens qui connaissent Ronald depuis sa plus tendre enfance... Vous avez tout le temps d'explorer Los Santos !

Jennifer accepta la proposition et elles sortirent de la voiture.

— Nous sommes un peu en retard, comme je le craignais, dit Dorinda Latham. Comme c'est moi qui ai les clés. Oh ! je n'aurais jamais cru que...

Elle s'agrippa au bras de Jennifer.

— Il y a quelque chose qui ne va pas ?

— Non, non ! La situation est seulement un peu gênante : il y a là une ancienne amie de Ronald... Mais comme vous vous seriez rencontrées tôt ou tard...

Elles s'avancèrent.

— Ma chère Elaine, je ne m'attendais pas à vous trouver ici !

Dorinda Latham s'adressait à une jeune femme, mince, brune, aux yeux d'un bleu magnifique et à la peau couleur de pêche, qui souriait tristement.

« Elle sait qui je suis ! pensa Jennifer. Cette rencontre lui est de toute évidence pénible... »

— Ma tante est enrhumée et n'a donc pu venir ! répliqua Elaine Mercer. Elle m'a demandé d'apporter des choses...

— Comme c'est gentil à vous d'être venue ! Vous ne connaissez pas mademoiselle West, n'est-ce pas ? Jennifer, je vous présente Elaine Mercer, une amie très chère.

Dorinda Latham souriait à présent...

— Dorinda, ne pourriez-vous pas ouvrir cette porte ? protesta une grande femme assez maigre.

— Oui, oui, bien sûr ! répondit Dorinda Latham. Elle alla jusqu'à la porte.

— Est-ce que cela vous ennuierait de vous charger de ça, mademoiselle West ? (Elaine Mercer tendait son carton.) Il faut vraiment que je m'en aille ! Je suis ravie d'avoir fait votre connaissance, et...

Elaine Mercer fit demi-tour et s'éloigna, la tête haute.

« Elle est toujours amoureuse de Ronald ! » pensa encore Jennifer.

Dorinda Latham présenta à Jennifer les huit personnes qui étaient là.

Elles furent bientôt toutes très occupées.

Jennifer fouilla aussi dans les cartons, épousseta,

secoua des vêtements de toute sorte, plia des pulls, déposa des objets sur les tables.

L'une d'entre elles avait été chargée — par Dorinda Latham, qui dirigeait les opérations — de fixer les étiquettes.

Jennifer remarqua que certaines de ses compagnes mettaient certains objets de côté, se les réservant.

Dorinda Latham demanda à Jennifer d'aller voir si le tri des vêtements était terminé.

Dans l'annexe deux femmes s'affairaient, qui n'entendirent pas entrer celle-ci...

— Pauvre Elaine ! dit l'une. C'est tellement gênant pour elle !

— Elle est encore sous le choc, dit l'autre. Je ne comprends pas ce qui s'est passé ! Elle et Ronald semblaient tellement amoureux !

— Oui, ils semblaient amoureux...

— Elle était amoureuse, c'est sûr !

— Mais, lui aussi l'était !

— Il n'a pas tardé à trouver quelqu'un d'autre...

— C'est l'amour par ricochet, ma chère ! Il est arrivé la même chose à l'un de mes cousins. Il était terriblement amoureux et il a été très malheureux. Mais trois mois après...

Jennifer sortit de l'annexe, les joues brûlantes.

Elle y rentra quelques minutes après, en faisant assez de bruit pour être entendue des deux femmes.

A midi, Dorinda Latham, Jennifer et les autres s'arrêtèrent pour déjeuner. Elles mangèrent des sand-

wichs au beurre de cacahuète et des gâteaux secs à la
noix de coco mais qui n'avaient guère de goût. On
parla des précédentes ventes de charité, de gens que
Jennifer ne pouvait connaître.

« Que suis-je venue faire ici ? » se demanda soudain Jennifer.

Le pasteur les rejoignit bientôt et elle lui fut présentée. Le prêtre était un homme assez petit et fort. Il
la regarda d'une façon telle qu'elle pensa qu'on lui
avait déjà parlé d'elle. A San Francisco, on n'avait
pas jasé ! Certes, sa mère avait été un peu inquiète de
la voir se rapprocher d'un garçon qu'elle connaissait à
peine. Mais elle ne s'était pas opposée à son départ
pour Los Santos ! Elle n'avait pas imaginé qu'elle
serait là un sujet de bavardage !

Le pasteur remercia les femmes qui étaient là de
l'aide qu'elles lui apportaient et s'en alla.

Jennifer continua de méditer sur sa situation...

— Mademoiselle West, vous ne terminez pas
votre gâteau ? dit l'une des femmes. C'est moi qui l'ai
fait et je serais blessée si vous...

Jennifer mordit dans son gâteau.

Brendon Meade se rendit à la cafétéria, au rez-de-
chaussée de l'hôpital. Il prit un plateau et s'installa à
une table. Il fut bientôt rejoint par un autre médecin.
Celui-ci parla de l'épidémie de grippe qui sévissait à
Los Santos et aux environs.

— Et cela va empirer ! dit le Dr Von Thum.

Brendon Meade acquiesça, mais il avait la tête ailleurs. Il pensait à cette jeune fille qu'il n'avait fait que croiser à *Meadowood*. Il avait été frappé par la ressemblance qu'il y avait entre celle dont on lui avait dit qu'elle serait bientôt la fiancée de Ronald Mainwaring et Beth. Mais Beth avait les yeux marron alors que l'autre avait des yeux gris-vert, des yeux dont il se souviendrait... Il n'aurait pas dû la fixer ainsi !

— Ils s'amusent, ils mangent et boivent trop !

Brendon Meade approuva l'appréciation de son confrère, mais il continuait de penser à cette jeune fille.

Dorinda Latham et Jennifer s'en allèrent à 16 heures.

— J'espère que je ne vous ai pas trop fatiguée, Jennifer !

— Vous avez travaillé bien plus que les autres...

— Bah ! je n'appelle pas cela travailler ! C'est quand la vente commence qu'on peut parler de travail ! Aujourd'hui, c'était plutôt amusant.

Fatiguées, elles gardèrent le silence.

Jennifer repensait à la conversation qu'elle avait surprise, dans l'annexe.

« C'est l'amour par ricochet, ma chère ! » avait dit l'une.

Pourquoi Ronald et Elaine s'étaient-ils séparés ? Cela, elle le saurait ! Elle avait le sentiment qu'elle apprendrait du même coup l'identité de celui ou de celle qui avait glissé l'avertissement sous sa porte...

Jennifer jeta un coup d'œil appréciateur sur les plats du dîner. Elle se tourna poliment vers la mère de Ronald qui était assise à l'extrémité de la table.

— J'espère que vous allez mieux, madame...

— Je vous remercie ! Je vais très bien à présent !

Ada avait répondu sur un ton qui avait paru bien sec à Jennifer.

Ses yeux étaient soulignés de larges cernes.

Dorinda intervint :

— Nous devons tous faire attention à notre santé ! Il y a une épidémie de grippe en ce moment. Deux des membres du club sont alités...

On parla ensuite du magasin d'Alex.

— Oncle Alex devient célèbre ! dit Cleone. On lui a demandé d'enseigner la poterie au centre de loisirs de la ville l'année prochaine...

— Alex, pourquoi ne m'avoir rien dit ? s'écria Dorinda. Quand commences-tu ?

— J'ai répondu que je ne pouvais pas, répliqua Alex. C'était tout à fait hors de question.

— C'est idiot ! Tu es tout à fait qualifié et...

— Du monde, des étrangers... Non, je n'aurais pas pu !

— Tu es bien trop modeste ! Jennifer, vous avez vu ce qu'il faisait ?

— Pas encore.

— Venez à la boutique et je vous montrerai, dit Cleone.

Michael Mainwaring porta sa main à son oreille.

— Qu'est-ce que vous dites ?

— Je disais à Jennifer qu'elle devait venir à la

boutique pour voir le résultat du travail d'oncle Alex !
Et tu devrais lui montrer ta serre, papa.

— Mais, avec grand plaisir ! J'y passe toujours un
moment après le déjeuner.

Jennifer pensa que l'auteur de l'avertissement se
trouvait parmi ces gens aimables...

Elle rencontra le regard de Ronald et celui-ci lui
sourit.

Devait-elle lui raconter qu'elle avait rencontré
Elaine ? Il ne serait pas loyal de le lui cacher. Elle le
ferait à l'occasion.

Elle dressa l'oreille : Dorinda parlait des Monroe.

— ... de tristes nouvelles de Hume aujourd'hui.
Dorothy est dans une très mauvaise passe, j'ai bien
peur qu'il ne faille l'opérer et les médecins sont
inquiets à cause de l'état de ses poumons. C'est
curieux, Alex et moi, nous parlions justement d'elle
hier soir. Tu t'en souviens, Alex ? Tu m'as demandé si
j'avais de leurs nouvelles.

Jennifer se souvint brutalement du conseil que lui
avait donné Dorothy Monroe. Ce conseil avait-il quelque chose à voir avec l'existence d'Elaine ?

Jennifer ne put parler à Ronald : il devait s'en aller
tout de suite après le dîner, devant participer à une
réunion du conseil d'urbanisme.

— Je vous aurais bien dit de venir, mais j'ai bien
peur que vous ne trouviez cela plutôt ennuyeux ! lui
dit-il.

Elle aurait préféré qu'il lui demandât de l'accompagner, en disant qu'il ne supporterait pas qu'elle fût
de nouveau loin de lui...

3

— Demain soir, nous irons dîner chez des amis à
moi, lui dit-il.

Elle dut se contenter de cela.

CHAPITRE V

Cet après-midi-là, Jennifer alla visiter la serre de Michael Mainwaring.

A l'expression de celui-ci Jennifer comprit que le jardinage occupait une grande place dans sa vie.

Elle fut impressionnée par la serre — par sa taille, sa propreté, l'ordre qui y régnait — ainsi que par les couleurs des plantes en fleurs qui s'y trouvaient.

Michael lui confia qu'il ne s'agissait pas seulement d'un passe-temps mais qu'il réalisait aussi des expériences de génétique pour un de ses amis, professeur dans un institut d'agronomie.

— De génétique ? dit Jennifer.

— Oui, la science de l'hérédité.

Seul avec elle et sans rien pour le distraire, il semblait ne pas avoir de difficultés à comprendre ce que disait Jennifer.

— On peut éprouver beaucoup de désappointements mais aussi avoir d'agréables surprises.

— Cela me paraît très intéressant ! Est-ce que les autres partagent votre passion ?

— Pas de façon scientifique. Pendant un certain

temps, Alex a essayé de me convaincre de parler à mes plantes. Il a parfois des idées folles de ce genre ! Il prétendait qu'elles pousseraient mieux, seraient plus résistantes, etc. Je lui ai dit que si une plante prospère quand on lui parle, c'est parce que la personne qui prend le temps de lui parler prend aussi le temps de s'en occuper correctement. Venez voir mes orchidées !

Jennifer suivit Michael, mais elle n'arrivait pas à fixer son attention sur les plantes.

Ronald lui avait promis de rechercher l'auteur du message — *Vous n'auriez pas dû venir ! Partez immédiatement ! Vous êtes en danger !* —, mais il ne l'avait pas trouvé. Elle avait donc décidé de mener son enquête de son côté. Elle parlerait à tous les membres de la famille, examinerait leur réaction... L'auteur du message se tenait sur ses gardes, certes, mais tôt ou tard il se trahirait.

La difficulté de l'entreprise lui apparut alors qu'elle parlait avec le père de Ronald. Il contrôlait la conversation tout comme il contrôlait ses plantes. Elle avait l'impression qu'il était sur ses gardes. Mais comment en être sûre ?

Elle profita d'une pause dans la conversation pour demander si Elaine s'intéressait aux plantes.

Michael se pencha pour examiner une de ses orchidées.

N'ayant pas obtenu de réponse, Jennifer répéta sa question.

— Elaine ? Nous n'en avons jamais parlé. Quand elle était ici, nous étions bien trop occupés pour en parler.

— Elle était à *Meadowood* ?

— Oui ! Elle a habité un certain temps ici. J'étais alors en convalescence, après mon attaque cardiaque. Il fallait que nous réglions mes affaires à la banque. Les médecins m'avaient dit que je ne devais plus travailler, mais il y avait des affaires à régler. Alors, Elaine, ma secrétaire, est venue ici pour m'aider.

Jennifer songeait aux questions concernant Elaine qu'elle pourrait poser, mais Michael regarda ostensiblement sa montre.

— Est-ce que je vous dérange ?

— Depuis mon attaque, il faut que je suive un régime strict. Je dois dormir un peu chaque après-midi à cette heure-ci.

— Oh ! je suis désolée !

— Moi aussi, je suis désolé !

Michael n'était-il pas plutôt soulagé de n'avoir pas à poursuivre la conversation ?

Jennifer regagna la maison.

Elle n'était pas plus avancée... De cette façon-là elle n'irait pas loin ! Elle n'était pas suffisamment psychologue...

Elle décida de s'y prendre autrement.

Elle ne pouvait pas s'attendre à ce que l'auteur du message se dénonçât, mais elle pouvait arriver à ce que chacun lui révélât quelque chose sur les autres. Michael, par exemple, lui avait dit qu'Alex avait parfois des idées bizarres et elle aurait dû insister là-dessus, lui demander quelques explications. Et en parlant avec Alex elle découvrirait peut-être quelque chose concernant Michael.

Tant qu'elle n'aurait pas percé le mystère, elle serait mal à l'aise à *Meadowood*.

Elle entra dans sa chambre et jeta un coup d'œil plein d'appréhension autour d'elle.

Non, sa chambre n'avait pas été visitée !

Depuis le mur, la grand-mère de Ronald la regardait de son air misérable. Etait-ce le portrait qui rendait l'atmosphère de cette chambre oppressante ? se demanda Jennifer. Ou était-ce parce que l'aura de la femme qui y était morte continuait d'y errer ?

Jennifer secoua la tête impatiemment.

Elle ne devait pas laisser son imagination l'emporter !

Elle s'obligea à aller près du portrait et à l'examiner attentivement. Mais cela ne fit qu'accroître son sentiment de malaise. Ne voyait-elle pas dans les yeux de cette femme le reflet de sa propre crainte ?

On frappa à la porte et elle se retourna brusquement.

Minette entra sans y avoir été invitée et elle regarda Jennifer d'un air amical.

— Madame Latham m'a dit que vous sortiez ce soir, dit-elle, et elle se demandait si je ne pouvais pas faire quelque chose pour vous, repasser une robe...

— Je vous remercie, Minette, mais je n'ai besoin de rien...

— Je peux vous coiffer, mademoiselle ? Je me débrouille assez bien, vous savez...

Jennifer s'était toujours coiffée seule et elle allait refuser. Mais, sur une impulsion, elle changea d'idée. Pourquoi ne pas saisir l'occasion ?

— C'est très gentil de votre part et si ça ne vous dérange pas...

Minette était très experte. Elle maniait rapidement le peigne, la brosse, et savait placer les épingles.

Elle se recula, regarda Jennifer avec attention, et dit qu'elle aimerait bien essayer quelque chose d'un peu différent.

— Faites comme vous voulez, Minette ! Je me sentirai peut-être un peu plus gaie. Il y a quelque chose dans cette chambre qui me déprime !

— Je n'ai jamais aimé cette chambre, mademoiselle...

— Ça fait longtemps que vous travaillez à *Meadowood* ?

— Deux ans. Avant j'étais au service du docteur Meade. J'y étais quand sa femme a été tuée par un chauffard...

— Quelle horreur !

— Ils l'ont attrapé, mais ce n'est pas ça qui a réconforté le docteur Meade. Il n'a d'ailleurs pas encore surmonté le choc. Le docteur Meade et monsieur Ronald sont de bons amis et, après la mort de madame Meade, le docteur a parlé à monsieur Ronald et celui-ci m'a alors proposé cet emploi. Vous n'avez jamais porté vos cheveux à la française ?

Encore remuée par ce qu'elle venait d'entendre, Jennifer répondit :

— Je les ai toujours laissés tels quels...

— Essayons ! Vous avez le visage pour ça. Vous lui ressemblez d'ailleurs...

— A qui ?

— A madame Meade ! Mademoiselle Cleone l'a aussi remarqué, elle me l'a dit.

Jennifer se souvint de la façon dont le Dr Meade l'avait dévisagée.

— J'avais commencé des études pour être esthéticienne, mais j'ai arrêté, dit Minette. J'ai pensé qu'il y avait dans la vie autre chose que les shampooings et les séchoirs. On me paie bien ici, on me traite bien aussi. Madame Cuddy récrimine, mais dans l'ensemble on s'entend bien. Son mari, ça, c'est une autre histoire ! Il a fallu que je le remette bien vite à sa place. Il avait des idées derrière la tête, ce vieux fou.

Elle tendit un miroir à Jennifer qui examina sa nouvelle coiffure. Elle réfléchissait à tout ce que Minette venait de lui dire et devait admettre que cela n'avait pas beaucoup de rapport avec la lettre. Mais elle avait appris beaucoup de choses intéressantes.

Et l'idée de passer la soirée loin de *Meadowood* en compagnie de Ronald lui avait remonté le moral.

— Parlez-moi un peu de vos amis, demanda Jennifer à Ronald alors qu'ils se rendaient chez les Miller.

— Vic est avocat. Nous étions ensemble à l'école... Il vous plaira sûrement. Sa femme, Bella, est un peu loufoque. Parlez un peu d'astrologie, de numérologie, de thérapeutique fondée sur la prière et de télépathie et Bella plongera dans le sujet !

— Votre oncle ne s'intéresse-t-il pas aussi à ces choses-là ?

— L'oncle Alex les a étudiées, mais il est si calme

qu'on a du mal à savoir — dans ce domaine comme dans d'autres — ce qu'il pense vraiment. Il est sans malice cependant.

Sans malice ? N'était-ce pas ce que l'on disait des gens ayant des troubles mentaux ?

Jennifer était perplexe.

— Bella a invité un couple de médiums ce soir. Je les ai rencontrés une fois. Je ne savais pas qu'ils seraient là, Bella ne m'ayant rien dit au moment où elle m'invitait.

— Je suis contente que vous ayez accepté, Ronald : ce peut être intéressant.

Bella Miller, une grande femme aux longs cheveux blonds, très bien proportionnée, les accueillit sur le pas de la porte. Elle était vêtue d'une robe indienne.

Elle les conduisit au salon.

Il y avait là Vic Miller, un homme trapu aux cheveux blond-roux, d'aspect sympathique, et deux autres couples.

Peu après, le Dr Meade et Angela Platz, une brunette aux traits tirés qui fut présentée comme son infirmière, arrivèrent.

Ils se connaissaient tous et Jennifer eut l'impression d'être une intruse. Elle fit cependant mine de s'intéresser à la conversation.

Elle entrevit une fois le Dr Meade en train de la regarder avec une expression bizarre. Avait-il remarqué qu'elle n'avait pas encore ouvert la bouche ?

Elle fut soulagée quand les invités d'honneur arrivèrent. L'homme, d'âge moyen, aux yeux de jais et avec une barbe taillée en pointe, était accompagné de sa femme, qui semblait lasse et anxieuse.

Bella les fit s'asseoir et vint se placer au milieu de la pièce.

— Je suis sûre que vous avez déjà entendu parler d'Anton Ross et de sa charmante épouse, Charlotte, dit-elle.

— Bien sûr ! dit vigoureusement Angela Platz.

Les autres acquiescèrent et Jennifer les imita.

— Anton Ross va faire une conférence, la semaine prochaine, à l'hôtel Egret. (Bella Miller parlait sur un ton de confidence.) Ne l'avez-vous pas entendu parler, hier après-midi sur une radio de San Francisco, de son dernier livre, *l'Art de la thérapeutique par la prière et la suggestion ?*

— Ah oui ! je l'ai entendu ! s'écria Angela Platz. Elle ajouta sur un ton d'excuse, à l'intention du seul Brendon Meade : Je laisse la radio tout bas pour que les malades ne puissent pas l'entendre...

Un buffet avait été dressé à l'extrémité de la pièce et Bella Miller invita ses hôtes à aller se servir.

Quand Jennifer revint avec son assiette, la place qu'elle avait laissée était occupée par Charlotte Ross qui parlait à Ronald.

Elle leva les yeux et vit Brendon Meade qui lui désignait la chaise d'à côté. Elle s'assit là, tandis qu'un peu plus loin Angela Platz entamait une discussion passionnée avec Anton Ross.

— Nous nous retrouvons finalement, et dans de drôles de circonstances, lui dit Brendon Meade.

Cette fois, elle put répliquer...

— Que voulez-vous dire ?

— Si je me trouve ici, la responsable en est mademoiselle Platz. Elle est fanatique du genre de chose que traite monsieur Ross.

Brendon Meade avait parlé si bas que Jennifer avait eu quelque mal à le comprendre.

— Je vois. Vous non ?

— Je déteste ceux qui jouent de la crédulité des gens, surtout quand ils se mêlent de médecine ! Mademoiselle Platz m'a harcelé jusqu'à ce que j'accepte de l'accompagner. Je dois reconnaître que j'attends de voir quelle influence peuvent avoir ces charlatans sur des gens sensés...

— Je vois les choses autrement, docteur Meade !

Le médecin haussa les sourcils.

— Ne me dites pas que vous y croyez ?

— Je n'ai pas de parti pris. Mais, si ces gens rendent l'espoir aux malades que les médecins ont abandonnés, je n'y vois pas de mal, bien au contraire !

— Mais c'est un espoir qui ne repose sur rien, mademoiselle !

— N'est-ce pas mieux que pas d'espoir du tout ?

— Vous avez peut-être raison ; il y a des gens qui sont absolument incapables d'accepter la réalité. Mais, que pensez-vous de ces gens qui refusent de se confier au médecin qui pourrait les aider et qui consultent ces charlatans ?

Avant qu'elle eût pu répondre, Bella Miller s'approcha avec un sourire rayonnant.

— Je suis heureuse que vous ayez pu venir, Brendon ! Vous pourrez nous donner une explication scientifique de tout ça.

— J'ai bien peur que l'explication scientifique ne soit pas entendue ! murmura Brendon Meade lorsque Bella se fut éloignée.

— Monsieur Ross, parlez-nous un peu de votre travail ! lança Angela Platz. Cela fait combien de temps que vous vous y consacrez ?

— Combien de temps ? dit Anton Ross. (Souriant légèrement, Anton Ross se caressa la barbe.) C'est une question qu'on m'a très souvent posée et je peux vous dire que ce don m'a toujours habité. Oui, dès l'enfance j'avais le don. (Il jeta un regard circulaire sur l'assemblée.) Je pense que nous avons tous des dons de ce genre. Oui, tous ! Même si nous n'en avons pas conscience ! Il y a parmi nous un médecin, un homme qui a le don de guérir. Lui place sa foi dans la médecine alors que ma femme, qui a aussi le don de guérir, la place dans la puissance de l'esprit.

Angela Platz regarda le Dr Meade avec un sourire de triomphe.

— Pouvez-vous nous dire quel est le don de chacun ? demanda-t-elle.

— Je pourrais le faire si je vous connaissais depuis plus longtemps, répondit Anton Ross. Mais, c'est à chacun de trouver son pouvoir, mademoiselle. Et le découvrir ne suffit pas ; il faut encore le développer.

— Et si nous avons négligé de cultiver nos dons, pouvons-nous les regagner ? dit Bella Miller.

— Je te laisse répondre, ma chérie ! dit Anton Ross en se tournant vers sa femme.

— Oui, nous pouvons les regagner, dit Charlotte Ross. Mais cela demande un effort bien plus important.

— Vous nous êtes d'un grand réconfort ! dit Angela Platz.

— Oh non ! Moi, je ne suis qu'un simple intermédiaire, l'instrument de forces thérapeutiques... Tout ça est bien difficile à expliquer...

— Parce que cela n'existe pas, murmura Brendon Meade.

Jennifer l'entendit alors qu'elle regardait Ronald. Celui-ci avait l'air préoccupé et lointain.

— J'aimerais que vous me parliez un peu des différents cas que vous avez traités ! lança le médecin.

— Assistez à notre conférence à l'hôtel Egret, docteur ! (Anton Ross souriait.) Je sais que lors de réunions privées tous les invités parlent de leurs maux au médecin et demandent conseil... C'est la même chose pour ma femme. Si vous avez besoin d'une aide précise, docteur, vous pouvez facilement prendre rendez-vous avec elle.

— Touché ! dit Brendon Meade avec le sourire.

Les autres rirent en fixant le jeune médecin mais sans aucune inimitié. Il était apparemment populaire et respecté de tous.

— Madame Miller a eu la gentillesse de nous inviter à rester chez elle pendant une semaine, continua Anton Ross. Nous avons eu une longue série de conférences, ce qui nous a épuisés, et nous allons prendre

un repos bien mérité jusqu'au printemps prochain.
Quand nous partirons d'ici, ce sera pour le Mexique.
Nous devons absolument faire une retraite de temps
en temps pour retourner à la source de l'esprit.

— Mais, pendant votre séjour à Los Santos, vous
donnerez bien des conférences privées, non ? dit
Angela Platz.

— On pourrait faire cela, en effet.

Satisfaite, Angela Platz se rassit.

La conversation continua, mais des groupes
s'étaient formés.

— J'espérais revoir cette charmante jeune femme
que nous avions rencontrée la dernière fois que nous
sommes venus !

Cette remarque de Charlotte Ross tomba dans un
moment de silence...

— Comment s'appelait-elle déjà ? Elaine... Elaine
Mercer, non ?

Les autres — à l'exception d'Anton Ross — évi-
taient de regarder Ronald et Jennifer... Ce faisant,
Anton Ross avait une expression de sympathie,
comme s'il voulait lui faire oublier la remarque malheureuse de sa femme. Mais il ne pouvait pas savoir :
il était arrivé à Los Santos le jour-même. Avait-il le
pouvoir de lire dans les pensées des autres ?

— Elaine n'a pu venir, dit Bella Miller.

Quand le moment fut venu pour Jennifer et
Ronald de s'en aller, ils saluèrent les uns et les autres.

Charlotte Ross serra timidement la main à Jennifer ; son mari le fit avec énergie.

— J'ai été ravie de faire votre connaissance, dit Jennifer.

Anton Ross plongea le regard dans le sien, la fixa avec une certaine intensité.

— Je vous en prie, prenez garde ! murmura-t-il.

Elle se sentit flageoler.

Le regard perçant d'Anton Ross lui faisait penser à quelqu'un d'autre... Etait-ce un autre avertissement ?

Elle ne put le lui demander, car Angela Platz attendait impatiemment de pouvoir parler avec Anton Ross.

— C'est un tel honneur que de vous rencontrer ! s'exclama-t-elle.

Jennifer s'éloigna et sut brusquement à qui Anton Ross lui faisait penser : c'était à Alex Latham, l'oncle de Ronald.

Angela Platz fixait le profil de son patron alors qu'ils étaient arrêtés, attendant que le feu passât au vert.

— Avouez que vous vous êtes bien amusé ! dit-elle.

— D'un côté, c'était intéressant, admit-il. Un groupe de personnes relativement intelligentes écoutant sérieusement tout ce boniment...

— Au moins vous ne vous êtes pas ennuyé !

Angela Platz s'exprimait avec la familiarité des collaborateurs. De plus, elle était beaucoup plus âgée que son patron.

Le feu passa alors au vert et le médecin fit repartir la voiture.

« Non, je ne me suis pas ennuyé ! » pensait Brendon Meade. Il avait beaucoup apprécié la compagnie de Jennifer ; cela, il ne pouvait évidemment l'avouer à sa compagne. Et il ne devait pas oublier que Jennifer était officieusement la fiancée de Ronald.

« Si je l'avais rencontrée le premier, elle aurait pu m'intéresser... Suis-je en train d'oublier Beth ? Est-ce que je renais enfin ? »

Un peu plus tard, le médecin déposait l'infirmière devant chez elle.

Charlotte Ross, assise devant sa coiffeuse, se mit à se brosser les cheveux.

— Cette soirée s'est bien passée, non ? dit-elle à son mari qui était en train de suspendre sa veste.

— Oui, assez bien, répondit-il.

Il alla à la fenêtre, fixa l'obscurité. Puis il se retourna.

— La jeune fille qui était là ce soir...

— Jennifer West ?

Il acquiesça d'un signe de tête.

— Il y a quelque chose qui te trouble, n'est-ce pas, Anton ?

Anton Ross acquiesça de nouveau.

— J'aurais aimé lui parler sans témoins.

— Elle est l'invitée des Mainwaring ; tu pourrais lui téléphoner ?

— Ça n'a jamais été notre politique que d'aller

chercher les clients pour des consultations privées, Charlotte. Les gens doivent venir volontairement vers moi.

— Et si elle venait, pourrais-tu lui dire quelque chose ?

— Ce n'est pas sûr ! Dans ces cas-là... Notre science n'est pas une science exacte, ma chérie, tu le sais bien.

— Tu crois qu'elle est en danger ?

— Oui, je le pense.

— Un danger mortel ?

— J'en ai bien peur.

— Alors tu dois essayer de la joindre, Anton !

— J'ai essayé. C'est à elle maintenant de faire un mouvement vers moi...

CHAPITRE VI

Ronald et Jennifer se rendirent à la bibliothèque. Il était près de minuit, mais Jennifer voulait encore parler avec Ronald de cette soirée et des différents invités. Ils venaient de s'installer quand la mère de Ronald entra.

Celui-ci ôta son bras de l'épaule de Jennifer et se leva.

— Oh ! je suis désolée ! s'écria Ada sur un ton d'irritation. Je ne savais pas que vous étiez là... Je suis descendue pour prendre un livre, car je n'arrivais pas à m'endormir... Je vous ai dérangés !

— Tu ne nous as nullement dérangés ! Il est d'ailleurs tard, je meurs de sommeil et je suppose que Jennifer a aussi sommeil...

— Non, je n'ai pas sommeil ! dit Jennifer. Je vais rester ici et lire un peu.

Le visage triste d'Ada s'éclaira d'un sourire de satisfaction.

— Eh bien, bonne nuit, Ronald ! dit encore Jennifer.

Ronald se pencha et déposa un léger baiser sur sa joue. Ada étant là, elle ne pouvait s'attendre à autre chose, mais elle se sentit tout de même frustrée. Elle était venue à *Meadowood* pour mieux connaître Ronald, mais ils n'avaient pas de moments d'intimité !

— Parlez-moi de cette soirée, dit Ada dès que Ronald s'en fut allé.

— C'était très agréable ! Il y avait des gens intéressants et...

— Les gens ! Quand on se mêle à eux, on a des problèmes, je l'ai dit plus de cent fois à Dorinda. Ils demandent toujours quelque chose : de l'argent, des faveurs, et même de l'amour. Croyez-vous à l'amour ?

— Mais oui, bien sûr !

Ada fixa Jennifer de ses yeux noirs.

— Eh bien, laissez-moi vous dire qu'il n'existe qu'un seul amour : l'amour d'une mère pour son enfant, le seul amour désintéressé qui soit !

— Beaucoup n'ont pas cette opinion, madame.

— Ceux-là parlent sans avoir réfléchi de n'importe quoi ! (Ada eut un rire dur.) Je dois vous dire qu'on me connaît pour ma franchise ! Mes enfants sont tout pour moi et pourtant ils me déçoivent. Parfois je pense qu'ils sont plus les enfants de Dorinda que les miens. C'est elle qui s'est occupée d'eux quand ils étaient petits, voyez-vous.

— Quand vous étiez malade...

— La grande déception de Dorinda a été de ne pas avoir d'enfants. Dorinda a toujours eu une excellente

santé, elle, mais a été incapable de donner un enfant à
Alex.

— Comme c'est triste !

— C'est pour ça qu'elle a des activités d'ordre
social et religieux ! Elle essaye de remplir le vide de sa
vie ! Parce qu'au plus profond d'elle-même elle sait
que...

Ada s'arrêta net en entendant des pas s'approcher.

— Ada ? Ada, es-tu là ?

— Ma gardienne ! souffla Ada avec un éclair de
malice.

Toute amertume avait disparu de son visage
quand Dorinda fit irruption dans la pièce.

— Ah ! te voilà ! Je t'avais apporté une tasse de
chocolat et j'ai eu la surprise de trouver ta chambre
vide. Comme il fait froid ici ! Mais, ce n'est pas étonnant : vous n'avez pas ouvert le climatiseur.

Jennifer remarqua que Dorinda paraissait
inquiète.

— Et avec ce peignoir léger, Ada ! Tu vas prendre
froid et avec l'état de tes poumons...

— Oh ! bien sûr !

Ada eut un rire sec et Dorinda rougit vivement.

— Allez, suis-moi, Ada !

— Mais je bavardais avec l'invitée de Ronald !

— Tu auras bien d'autres occasions de bavarder
avec elle, Ada !

En s'excusant du regard auprès de Jennifer,
Dorinda entraîna sa sœur.

« Quel dommage que Dorinda soit venue ! » se dit

Jennifer. Certes, la mère de Ronald avait des manières brusques, mais elle était si franche qu'elle aurait
fini par apprendre quelque chose.

Etait-il si courant d'apporter une tasse de chocolat
à quelqu'un à cette heure ?...

Pourquoi Dorinda s'était-elle empressée d'éloigner Ada ? S'inquiétait-elle vraiment pour la santé de
sa sœur ? Pourquoi avait-elle paru si alarmée ?
Craignait-elle que sa sœur ne dévoilât quelque secret ?

Il était minuit et demi et Jennifer étouffa un bâille-
ment. Elle repenserait à tout cela le lendemain matin.

Elle monta à sa chambre.

Quand elle éteignit, elle n'avait pas vu l'enveloppe
que quelqu'un avait déposée sur la coiffeuse.

Ce ne fut qu'en sortant de la salle de bains, le
matin, que Jennifer remarqua l'enveloppe. Elle
n'aurait pas senti plus de répulsion si elle avait décou-
vert un serpent lové là.

Elle se força à prendre l'enveloppe et la glissa sans
l'ouvrir dans sa poche.

Elle descendit ensuite.

Elle eut de la chance : Ronald était en train de
déjeuner, seul. Elle posa l'enveloppe à côté de son
assiette sans dire un mot.

Ronald la regarda, l'air sévère.

— Une autre ?

— Je le pense. En tout cas, c'est le même type
d'enveloppe.

Il l'ouvrit et en sortit une feuille de papier pelure.

Il jeta un coup d'œil sur le bref message, les sourcils froncés.

— Vous n'allez pas lire cela, Jennifer ?

Mais Jennifer tendit la main.

Elle lut à son tour. La teneur du second message
n'était guère différente...

ON NE VEUT PAS DE VOUS ICI !
PARTEZ QUAND IL EN EST ENCORE TEMPS !

Jennifer se mit à trembler.

Ronald se leva et vint passer son bras autour de ses
épaules.

— Je ne sais pas quoi dire, Jennifer. Je vous pro-
mets seulement de faire tout mon possible pour savoir
qui a écrit cela.

Il lui reprit la lettre.

— Promettez-moi de ne pas vous tourmenter,
Jennifer ! Si vous vous laissez intimider, vous ne ferez
que jouer le jeu de cette..., de cette personne ! Je
vous...

Il se tut en voyant entrer Cuddy.

— Votre voiture est devant la porte, monsieur !

Cuddy s'était adressé à Ronald, mais il portait un
regard curieux sur Jennifer qui était d'une extrême
pâleur.

— Merci, Cuddy ! répliqua Ronald.

Mais Cuddy parut ne pas avoir entendu, et resta
immobile.

— Vous pouvez vous retirer, Cuddy !

— Très bien, monsieur.

Cuddy s'en alla enfin.

— Je préférerais ne pas vous laisser seule, murmura Ronald, et pouvoir vous convaincre que ces lettres ne sont que l'œuvre d'un très mauvais plaisant...

Il était pâle aussi et avait des cernes sous les yeux, comme s'il avait peu dormi. Jennifer posa doucement sa main sur son bras.

— Ne vous inquiétez pas, Ronald, ça va aller !

— Vous êtes une gentille fille !

L'air absent, Ronald se pencha et déposa un léger baiser sur la joue de Jennifer.

Quelques minutes après qu'il fut parti, Cleone arriva avec un plateau.

— Qu'est-ce qui ne va pas avec Ronald ? dit-elle. Je viens de le croiser dans l'entrée et il m'a semblé prêt à tuer l'importun qui se trouverait sur son chemin ! Vous seriez-vous déjà disputés ?

— Il pensait sans doute à son travail, répondit Jennifer.

— Peut-être. Il est vraiment très occupé en ce moment ! J'ai été surprise qu'il ait trouvé le temps de dîner chez les Miller hier soir... Au fait, le docteur Meade y était-il ?

— Oui, il était là.

— C'est bien ce que je pensais ! Mademoiselle Platz m'avait dit qu'elle essayait de le persuader d'y aller pour rencontrer Anton Ross. Il a dû avoir un choc en vous voyant ?

Cleone avait levé les yeux du toast qu'elle était en train de beurrer.

— Pourquoi en aurait-il eu ?

— Parce que vous ressemblez beaucoup à la pauvre Beth, sa femme, qui est morte dans un accident.

— Minette m'avait parlé de cette ressemblance, mais...

Jennifer était bien trop préoccupée par le second message qu'elle avait reçu pour s'intéresser au sujet.

— Ça fait des années que je suis amoureuse de Brendon Meade ! lança Cleone. Bien avant qu'il ne rencontre Beth je l'aimais déjà. Malheureusement, on dirait bien que je ne suis pas son type de femme !

Jennifer se demanda vaguement si Cleone était sincère.

Quoi qu'il en fût, elle ne pourrait avoir de conversation sérieuse avec quiconque tant qu'elle ne saurait pas qui avait écrit ces messages.

Dorinda entra avec un plateau généreusement garni.

Elle déposa celui-ci sur la table et s'assit.

— Je suis bien ennuyée ! dit-elle. C'est aujourd'hui qu'a lieu la vente de charité et deux de mes meilleures recrues sont au lit avec la grippe !

— Ne pourrais-je pas vous aider ? dit Jennifer.

— Je n'osais vous le demander, ma chère !

Ronald était dans l'entrée quand Dorinda et Jennifer arrivèrent.

— Tu es rentré tôt aujourd'hui ! fit remarquer Dorinda.

— Le fait est ! dit Ronald. (Il eut un regard complice pour Jennifer.) Il y a quelque chose dont je dois m'occuper... Tante Dorinda, j'aimerais vous parler un instant...

Jennifer monta à sa chambre. Elle éprouvait de la curiosité en même temps qu'une certaine appréhension.

Dorinda parut assez inquiète durant le dîner.

Elle ne s'attarda pas : elle se leva dès qu'elle eut bu son café.

— Minette, vous me rejoindrez à la bibliothèque dès que vous aurez desservi ! lança-t-elle avant de sortir.

Ronald s'en alla aussi : il devait participer à une réunion.

Jennifer se rappelait son regard complice, mais ils ne s'étaient pas trouvés en tête à tête ce soir...

Deux femmes étaient attablées, dans la cuisine d'un appartement. Elles se trouvaient dans le quartier le plus pauvre de Los Santos.

— Ils t'ont donc renvoyée !

Minette hocha la tête.

— Ça faisait combien de temps que tu étais là-bas ?

— Plus de deux ans.

— Et ils ne t'ont même pas dit pourquoi ?

— On m'a donné une fausse raison...

— Qu'est-ce que c'était ?

— Je préfère ne pas le dire, Ruth !

Ruth Walker se leva et alla chercher la cafetière.

— Une autre tasse ?

— Non, merci !

Ruth Walker remplit lentement sa propre tasse.

— Tu devrais manger quelque chose, Minette ! Je peux te faire à dîner, si tu veux.

— Je ne pourrais rien avaler.

— Ma pauvre chérie ! Ces gens sont cruels ! Et à cette époque de l'année... Ecoute, j'ai fait de la soupe ce matin. Ne veux-tu vraiment pas que je t'en apporte un bol ?

— J'ai mal à la gorge ; je crois bien que j'ai attrapé la grippe. Non, je n'ai besoin de rien, merci.

Jennifer toussa. Sa voisine fronça les sourcils, se leva et alla vider sa tasse dans l'évier...

— Eh bien, puisque je ne peux rien faire pour toi...

Minette resta seule dans le triste appartement.

On l'avait donc chassée de *Meadowood* !

Les indemnités qu'elle avait reçues, elle aurait aimé les jeter au visage de ceux de là-bas. Mais, il fallait vivre...

CHAPITRE VII

Le matin, alors que Jennifer préparait son plateau de petit déjeuner dans la cuisine, elle entendit des voix, qui provenaient de la salle à manger. Mary Cuddy n'étant pas là, elle alla écouter à la porte.

— Mais, je ne comprends pas ! dit Ada. Minette ne faisait-elle pas bien son travail ?

— Tout ce que je peux te dire, c'est que c'était nécessaire.

— Ce que tu peux être énervante, Dorinda ! Pourquoi fais-tu un mystère de chaque chose ? Je suis sûre que tu sais pourquoi Minette est partie ! De toute façon, je saurai par Cuddy ce qui s'est passé !

— Eh bien, sache que Minette a écrit des lettres de menace et...

Pendant un instant, le silence le plus complet régna.

Puis le rire rauque d'Ada retentit.

— Des lettres de menace ? Minette ? Et tu penses que je vais croire ça ?

— C'est la vérité, Ada !

— Mais pourquoi ? Et des lettres à qui, s'il te plaît ?

— A Jennifer. Enfin, c'est ce que dit Jennifer...

— Ces lettres, les as-tu vues, Dorinda ?

— Non, et je ne tiens pas à les voir.

— Moi si ! S'il y a des lettres, je veux les voir !

Entendant du bruit, Jennifer s'éloigna de la porte.

Mary Cuddy arrivait de la réserve avec plusieurs pots de confitures. Elle fit un petit signe de tête à Jennifer.

— Comme si cela ne suffisait pas ! marmonna-t-elle.

— Qu'est-ce qui ne va pas, madame Cuddy ?

Mary Cuddy grogna quelque chose.

Jennifer prit son plateau et alla à la salle à manger.

En entrant, elle eut la surprise de constater qu'il y avait là une troisième personne.

Alex se leva poliment en la voyant.

Quelques minutes plus tard, Cleone arriva.

— Qu'a donc madame Cuddy ? lança-t-elle en s'installant. Elle n'est pas très aimable d'habitude, mais aujourd'hui elle est impossible ! Elle ne m'a même pas adressé la parole...

— Elle est troublée, dit Dorinda, parce que Minette est partie. J'ai dû la renvoyer hier soir.

— Mais, pourquoi ? s'écria Cleone.

— Je t'expliquerai plus tard, répondit Dorinda en lançant un coup d'œil appuyé dans la direction de Jennifer.

Ada repoussa son assiette en disant qu'elle ne pouvait plus rien avaler. Elle se leva et s'en alla.

Jennifer partit bientôt. Elle regagna sa chambre.

Le fait que Minette eût été renvoyée si précipitamment la troublait. Mais Minette avait dû avouer qu'elle avait écrit ces messages. Et quand bien même elle aurait avoué ! Quel motif aurait-elle eu de faire une telle chose ?

Elle demanderait des explications à Ronald !

Elle farnienta jusqu'à 10 heures, puis elle décida de s'éloigner du portrait de la grand-mère de Ronald.

Elle mit des chaussures de marche, revêtit son manteau et noua une écharpe de couleur vive sur ses cheveux.

Elle descendit rapidement l'escalier.

Heureusement, elle ne rencontra personne.

Cuddy était en train de balayer l'allée.

— Vous allez vous promener, mademoiselle ?

— J'ai envie d'explorer un peu le coin.

— Ne vous éloignez pas trop ! J'ai l'impression qu'il va pleuvoir...

L'air frais la revigora.

Elle se dirigea vers la route qui menait à la ville, repensant à la situation dans laquelle elle se trouvait. Après tout, il n'était pas impossible que Minette eût écrit ces messages ! Pourquoi, c'était une autre question. Si cela était, les relations qu'elle entretenait avec les parents de Ronald allaient s'améliorer. Elle comprenait leur réticence à admettre quelqu'un qu'ils connaissaient à peine. Dans l'ensemble, ils l'avaient traitée assez bien. Elle-même pourrait voir bientôt ses préventions tomber. Peut-être finirait-elle par avoir la mère de Ronald de son côté ?

Le soleil s'était brusquement caché derrière un gros nuage noir.

A cette heure, il n'y avait pas beaucoup de circulation. Elle avait parcouru quelque cinq cents mètres quand une voiture s'arrêta.

Brendon Meade était au volant.

— Je peux vous emmener ?

Elle monta alors que les premières gouttes tombaient.

— Vous allez à la ville ?

Brendon Meade fit démarrer la voiture.

— Je ne pensais pas y aller, mais puisque l'occasion m'est offerte... En réalité, j'étais sortie faire un petit tour.

— Par ce froid ?

— J'avais besoin de réfléchir.

Brendon Meade regarda Jennifer, visiblement intrigué.

— Parfois, cela aide de se confier à quelqu'un...

— C'est vrai. Chez moi, je raconte tout à Jane.

— Jane ?

— C'est ma sœur. Elle vient d'avoir dix-sept ans. Ce qu'il y a de bien avec elle, c'est qu'elle n'écoute pas vraiment ce qu'on lui dit. Elle pense à ce à quoi on pense quand on a dix-sept ans.

— Aux garçons ?

— Entre autres. Jane n'entend pas la moitié de ce que je lui dis, et elle oublie la moitié de ce qu'elle a entendu.

— Et vous aimeriez qu'elle soit là pour lui raconter ce qui vous tracasse...

— Oui.

— Ne pourriez-vous pas me le raconter ?

— Je... Je ne peux pas en parler à quelqu'un d'ici.

A ce moment, un lièvre traversa la route devant la voiture et disparut dans les buissons.

— Oh ! comme il est beau ! s'exclama Jennifer.

— Grâce à Dieu, le coin n'est pas encore abîmé !

— Cela fait longtemps que vous vivez ici ?

— Je suis né à Los Santos.

— Alors vous connaissez Ronald depuis très longtemps ?

— Oui, mais pas très bien. J'avais deux ans d'avance sur lui à l'école et ma famille n'appartenait pas au même groupe social que les Mainwaring. Je suis d'une famille pauvre, voyez-vous.

— Moi aussi, je suis d'une famille pauvre. Mais je n'ai jamais prêté tellement attention à cela !

— Vous paraissez avoir été heureuse...

— Bah !... Mon père est mort quand j'avais douze ans. Maman est infirmière et elle a pu nous nourrir, Jane et moi...

Le médecin déposa Jennifer dans la grand-rue. Heureusement que le trajet n'avait pas été plus long, se dit-elle. Elle aurait fini par parler à cet homme sympathique des craintes qu'elle éprouvait depuis son arrivée à *Meadowood*. Ce faisant, elle aurait fait preuve de déloyauté envers Ronald.

Elle entra dans une papeterie pour y acheter du

papier à lettres. Sa mère et sa sœur attendaient sans doute impatiemment de ses nouvelles.

Il se mit à pleuvoir plus fort et elle fit l'acquisition d'un capuchon en plastique.

Il pleuvait à torrents quand elle sortit du magasin.

Elle s'engouffra avec soulagement dans un drug-store et remarqua que la pendule au-dessus du comptoir indiquait midi cinq. A *Meadowood,* on devait se demander où elle était passée.

Elle alla à la cabine téléphonique et composa le numéro de *Meadowood.*

Ce fut Mary Cuddy qui répondit.

Elle se contenta de lui dire qu'elle était en ville et qu'elle y déjeunerait.

Alors qu'elle était au comptoir, quelqu'un se laissa tomber sur un tabouret, à côté d'elle.

Minette !

Mais celle-ci la regarda méchamment.

— Deux ans ! dit-elle sur un ton d'amertume. J'ai travaillé chez eux pendant deux ans et on me chasse ! On me reproche quelque chose alors que je n'ai rien fait. Qui voudrait m'engager à présent ?

Jennifer avait le cœur serré. L'indignation de Minette n'était pas feinte !

— Madame Dorinda a dit que je vous avais écrit de bien vilaines lettres et je lui ai dit — et je l'ai répété à monsieur Ronald — que ce n'était pas moi, mais ils ne m'ont pas crue, ou ils ont prétendu ne pas me croire. Pourquoi aurais-je fait ça ?

Jennifer secoua la tête.

— Cela m'a fait un choc de savoir qu'on vous avait fait partir, Minette.

— Je faisais mon travail correctement et tous — à l'exception de Cuddy — m'aimaient bien. Je n'arrive pas à comprendre que monsieur Ronald ait été si injuste !

Minette commanda un café.

— Je n'ai rien pu avaler depuis que c'est arrivé, mademoiselle !

— Vous ne semblez pas bien, Minette.

Minette eut une quinte de toux.

— J'aurais attrapé la grippe ou quelque chose comme ça que ça ne m'étonnerait pas !

Une femme imposante vint se mettre juste derrière Jennifer et montra clairement qu'elle attendait la place.

Jennifer dit quelques mots d'encouragement à la malheureuse Minette, paya et partit.

Elle se dirigea machinalement vers le grand magasin qui se trouvait un peu plus loin, mais elle n'avait plus aucune envie de faire des achats... Elle se sentait responsable du renvoi de Minette ! Si elle n'était pas venue à Los Santos...

Elle eut soudain envie d'entendre la voix de sa mère. C'était justement vendredi, son jour de congé.

Madame West décrocha à la seconde sonnerie.

Jennifer lui assura que tout allait bien.

« — Tu ne nous racontes pas grand-chose dans ta lettre, Jennifer ! »

« — Je vous en enverrai une autre, plus longue... »

« — Envoie-la chez ta tante Betsy. Nous partons ce soir pour Merced. Si tu n'avais pas appelé, je t'aurais téléphoné. Je me fais du souci pour toi, ma chérie ! »

Madame West donna à Jennifer des nouvelles des uns et des autres.

Jennifer était apaisée quand elle raccrocha.

Qu'elle avait été sotte de se laisser impressionner !

Concernant Minette, elle demanderait à Ronald ce qui s'était passé.

Et elle allait commencer à faire ses achats de Noël ! Elle acheta un sac pour sa mère, un pull pour Jane, un foulard pour la tante Betsy et d'autres choses pour ceux de *Meadowood*.

En quittant le magasin, les bras chargés de paquets, elle eut la chance de trouver un taxi libre.

A *Meadowood,* elle dut sonner avec le coude, car elle avait les bras chargés.

Ce fut Michael qui lui ouvrit.

A la faible lumière du hall, il lui parut hagard, mais il la déchargea de ses paquets et l'aida à ôter son manteau avec sa gentillesse habituelle.

Dans sa chambre, Jennifer posa les paquets sur le lit et ôta son pull trempé et ses chaussures mouillées. Elle se donna un coup de peigne. Quelqu'un jouait du piano en bas. L'air lui était familier et le pianiste jouait bien. Mais elle se rendit bientôt compte que c'était joué de façon irrégulière, d'une façon qui lui mettait les nerfs à vif.

« Voilà que tu t'imagines encore des choses ! » se dit-elle.

Mais la curiosité l'emporta : elle devait savoir qui jouait de cette façon torturée.

Las ! la musique cessa alors qu'elle se trouvait au haut de l'escalier.

Elle entendit un bruit de porte derrière elle, qui la fit sursauter.

Elle se retourna et vit Cleone qui s'approchait.

— Je me demandais qui jouait, dit-elle.

— Il y avait quelqu'un qui jouait ? J'avais allumé la radio et je n'ai rien entendu. C'était sans doute oncle Alex !

Cleone avait répondu poliment.

Pour Jennifer, la sœur de Ronald était une véritable énigme : jusque-là elle s'était montrée plutôt amicale, mais elle avait l'impression que si Cleone en avait l'occasion, elle lui causerait des problèmes.

« Suffit ! se dit-elle en regagnant sa chambre. Arrête de soupçonner tout le monde ! »

Mais, ce n'était pas si facile.

Jennifer savait que Cleone était l'amie d'Elaine et qu'elle apprécierait une réconciliation entre celle-ci et Ronald...

Elle eut un haut-le-corps quand on frappa à la porte...

— C'est Ada !

— Entrez, je vous en prie !

— Avez-vous vu Ronald ? demanda Ada en entrant.

Jennifer secoua négativement la tête.

— Comme vous n'étiez là au déjeuner ni l'un ni l'autre, j'ai cru que vous étiez ensemble. Ronald ne vient pas souvent déjeuner à la maison, et c'est normal quand on a une secrétaire dévouée qui vous adore et vous prépare de petits plats. (Ada sourit largement.) Ronald ne vous a-t-il pas parlé de mademoiselle Bowden ? Elle est amoureuse de lui, désespérément amoureuse, la pauvre ! Mon pauvre Ronald a le chic pour s'engager envers des femmes et ne sait pas ensuite comment s'en dépêtrer ! Et je dois chaque fois voler à son secours. Ma chère petite, je pourrais faire un livre des démêlés de Ronald avec les femmes et...

Ada s'interrompit brusquement, alors que son regard s'était porté sur le portrait.

— C'est moi qui ais peint ce portrait.

— Cuddy me l'avait dit, madame.

— Avant que je ne sois malade, je peignais beaucoup. Je préparais ma première exposition quand je suis tombée malade et j'ai perdu toute envie de faire des tableaux...

— C'est bien dommage, murmura Jennifer, polie.

— On a dit que j'avais du talent. C'est de là que Ronald tient son sens artistique, même Dorinda le reconnaît. Elle est si possessive que j'ai l'impression qu'elle oublie parfois de qui Ronald est le fils.

Quelqu'un s'approcha de la chambre de Jennifer et s'arrêta devant la porte.

— Ada !

La voix de Dorinda...

— Je bavarde avec Jennifer. Laisse-moi donc tranquille !

— C'est l'heure de tes médicaments, Ada !

— C'est bon, c'est bon, je viens !

Ada fit un pas et se retourna.

— Il faudra que nous reprenions cette discussion. Il y a tellement de choses que je veux vous dire. Il n'y a pas très longtemps, une autre jeune fille est venue ici, qui s'appelait Elaine, et...

— Ada !

— Dorinda ne me laissera pas en paix tant que je n'aurai pas pris mes médicaments !

Ada partie, son parfum lourd demeura dans la chambre. Ces quelques minutes de conversation avaient laissé Jennifer encore plus perplexe. La mère de Ronald essayait-elle de la mettre en garde quand elle lui assurait que Ronald s'engageait légèrement ?

Ronald regrettait peut-être de l'avoir invitée à *Meadowood* et son travail lui donnait-il prétexte à absences ?

« Il faut que j'en aie le cœur net ce soir même ! » se dit-elle.

Ronald arriva à l'heure du dîner, accompagné de deux hommes qui travaillaient avec lui.

Ellie Tate, la remplaçante de Minette, servit. Elle approchait de la quarantaine, avait des cheveux tirant sur le roux, un visage bien coloré mais inexpressif.

Ronald et ses collègues devaient repartir tout de suite après le dîner pour aller assister à une réunion à la mairie de Los Santos...

Jennifer ne put être seule avec Ronald qu'un instant. Mais, il ne lui laissa pas le temps de parler de ce qui la préoccupait...

— Ne m'attendez surtout pas, ma chère Jennifer : je pense que la réunion finira fort tard !

CHAPITRE VIII

En se réveillant Jennifer se sentit mal. Etait-elle malade ? Elle l'était au point de ne pouvoir se lever.

Intriguée de ne pas la voir, Dorinda lui rendit visite.

— J'ai bien peur d'avoir attrapé la grippe ! dit Jennifer.

Dorinda déploya une grande sollicitude : elle retapa les oreillers de Jennifer, lui prit le pouls et promit de lui faire apporter un plateau par Ellie.

Un peu plus tard, Ellie arrivait avec une bouillotte et des couvertures. Elle repartit et revint avec un plateau. Elle s'occupa encore de la malade à midi et le soir. Là, elle lui remit un bouquet de fleurs et un petit mot de la part de Ronald.

De toute la journée, Jennifer n'avait vu que deux personnes !

Vers 22 heures, Ellie lui apporta un verre de lait chaud.

— Je vous cause bien des désagréments, n'est-ce pas, Ellie ?

— Ne vous tracassez pas pour ça, mademoiselle !

On dirait que la moitié de la ville est couchée à cause de ce microbe. Madame Dorinda veut que vous buviez ça ! Ça vous aidera à dormir…

Jennifer avala une gorgée.

— Ça a un drôle de goût !

— Il y a sans doute du rhum, mademoiselle. (Ellie Tate ne put se retenir de bâiller.) Excusez-moi, mais la journée a été longue…

Jennifer lui lança un regard de sympathie.

— Vous allez rester définitivement ici ?

— Non, mademoiselle, seulement jusqu'à ce qu'on ait trouvé une remplaçante pour celle qui était là. Moi, je suis femme de ménage ; je n'ai pas l'habitude de servir à table, de faire entrer les gens !

— Peut-être que Minette va revenir ?

— Oh ! je ne crois pas, mademoiselle ! On m'a dit qu'elle avait été renvoyée, et qu'on ne lui avait même pas donné de certificat !

« Renvoyée sans motif ! » pensa Jennifer. Elle était certaine à présent que Minette n'était pas l'auteur des deux messages.

— Elle aura du mal à retrouver du travail, mademoiselle ! Les gens se méfient de ceux qui ont volé…

— Mais, Minette n'a pas été renvoyée pour avoir volé !

— Ah bon ? J'ai pensé que c'était pour ça. Cela faisait deux ans qu'elle travaillait ici et on devait être content d'elle ! Alors j'ai pensé qu'on l'avait peut-être surprise en train de faucher…

— J'espère que vous n'avez pas raconté cela à tout le monde ?

— Moi, je ne dis jamais rien sur les gens qui m'emploient ! Je pourrais pourtant écrire un livre sur ce que j'ai vu chez les gens chez qui j'ai travaillé, un livre plein de choses incroyables. La plupart des gens ne pensent pas à cacher les choses à leur femme de ménage...

Ellie prit le verre vide, retapa le lit de Jennifer et la laissa après lui avoir fait un grand sourire.

Jennifer s'endormit presque immédiatement, mais ce fut pour dormir d'un sommeil agité. Elle rêva, s'agita, toussa.

Elle se réveilla peu après minuit et crut avoir entendu marcher.

Elle essaya de s'asseoir et s'aperçut qu'elle ne pouvait bouger. Elle voulut appeler, mais aucun son ne sortit de sa gorge sèche. Elle n'arrivait même pas à ouvrir les yeux...

Elle entendit la porte s'ouvrir et des pas étouffés.

Ce ne fut que lorsqu'elle sentit une main froide se poser sur sa gorge que sa paralysie disparut : elle cria et se débattit.

Elle put distinguer une silhouette.

La porte se referma sur celle-ci.

Elle cherchait à tâtons la lampe de chevet quand la porte fut rouverte...

On donna de la lumière.

— Ça va, Jennifer ? demanda Cleone.

— Il y avait quelqu'un dans la chambre ! dit Jennifer d'une voix aiguë.

— Ici ? dit Cleone avec incrédulité.

Elle portait un pyjama bleu et avait les pieds nus.

Elle se frotta les yeux comme pour s'assurer qu'elle ne rêvait pas.

— Vous êtes sûre ?

— Oui, Cleone...

A dire vrai, Jennifer n'était plus sûre d'elle.

— Quelle heure est-il, Cleone ?

— Il est 3 heures, ma chère !

La porte s'ouvrit sans qu'on eût frappé.

Dorinda entra, serrant sa robe de chambre contre elle.

— Que se passe-t-il ? J'ai cru entendre crier quelqu'un.

— Jennifer a eu un cauchemar ! dit Cleone.

— Ma pauvre petite ! (Dorinda s'approcha du lit et se pencha au-dessus de Jennifer.) Vous en avez souvent ?

Jennifer secoua la tête en signe de dénégation.

— Ce doit être à cause de la fièvre ! (Dorinda avait posé la main sur le front de Jennifer.) Vous êtes brûlante ! Nous devrions appeler le médecin...

— Oh non ! ce n'est pas la peine ! dit Jennifer. Je n'ai qu'un mauvais rhume...

— Vous avez la grippe ! Toi, Cleone, tu devrais rentrer dans ta chambre !

Cleone sortit avec un sourire malicieux et Dorinda alla chercher un thermomètre.

Jennifer était tout à fait réveillée maintenant et commençait à être gênée : les membres de la famille de Ronald allaient la prendre pour une névrosée et c'était bien la dernière chose au monde qu'elle souhaitait.

Elle était satisfaite de ne pas avoir réveillé la maisonnée entière !

— Je suis désolée de vous déranger ainsi, dit-elle à Dorinda quand celle-ci lui eut ôté le thermomètre de la bouche.

— Vous ne me dérangez nullement ! Je sais que les rêves plongent parfois dans la frayeur... Ah ! vous avez beaucoup de température, ce qui est un signe de santé ! Cela prouve que votre organisme combat la maladie.

Dorinda secoua les oreillers de Jennifer, refit le lit et se dirigea ensuite vers la table où Jennifer avait laissé les cadeaux de Noël achetés la veille.

— Comme j'aime ça ! Noël m'a toujours excitée. Tant de cadeaux dans de si beaux paquets ! Chaque année je me dis que ce sera différent, mais...

Elle continua de parler et sa voix berçait Jennifer.

— ... un Noël très spécial pour nous tous, ma chère ! Et vous êtes notre invitée. Voulez-vous que je reste ici jusqu'à ce que vous vous endormiez ? Non ? Très bien, je vais retourner me coucher alors. Mais promettez-moi de rester couchée demain ! Il faut attendre que...

— Les rideaux !

— Pardon ?

— Les rideaux... Ellie les avait tirés quand elle m'a apporté le verre de lait et ils sont maintenant à moitié ouverts !

— Allons, ne recommencez pas à vous agiter ! dit Dorinda sur un ton légèrement autoritaire.

— Vous avez sans doute raison, dit Jennifer.

Elle se sentait faible et elle se laissa retomber sur les oreillers.

— Je vais éteindre et laisser les rideaux légèrement entrouverts pour que vous ne soyez pas dans l'obscurité totale...

Dorinda fit ce qu'elle avait annoncé.

Avec l'obscurité et le bruit des pas de Dorinda dans la pièce, Jennifer eut l'impression que son cauchemar recommençait.

— Faites de beaux rêves, Jennifer ! dit doucement Dorinda avant de refermer la porte.

Jennifer passa toute la journée dans sa chambre, allant du lit au fauteuil, reniflant fréquemment. Elle avait renoncé à lire le roman que Dorinda lui avait apporté.

Ronald avait insisté pour qu'on appelât le médecin, mais celui-ci ne put venir que le soir.

Brendon Meade trouva Jennifer installée dans son fauteuil. Elle se sentait mieux, mais, pour une raison qu'elle ne put s'expliquer, elle fut contente de le voir.

— Vous avez encore un peu de fièvre ! dit le médecin. Je vous conseille de garder la chambre. Si demain vous n'aviez plus de fièvre, vous pourriez sortir après-demain.

Dorinda s'était agitée dans la chambre pendant qu'il examinait Jennifer.

Elle sourit largement.

— Je dois avouer que je commençais à me faire du souci pour elle ! dit-elle.

— Ce n'est pas une simple grippe qui pourrait abattre mademoiselle West ! dit Brendon Meade. Elle a une très bonne constitution...

Sa présence réconfortait Jennifer.

Alors qu'il rangeait sa trousse, il vit le portrait. Il s'en approcha.

Il l'examina un moment en fronçant les sourcils, puis il se tourna vers Dorinda.

— C'est l'œuvre d'Ada ?

— Oui, elle l'a fait un an avant la mort de maman !

Il secoua la tête, parut sur le point de faire un commentaire.

Il prit sa trousse, l'air pensif, et quitta la chambre de Jennifer.

Quand elle se réveilla, le matin, Jennifer se sentit au mieux. L'inaction commençait à lui peser. Elle aurait voulu que Ronald lui rendît visite. Sans doute sa tante le lui avait-elle interdit, craignant que le mal ne se répandît par son intermédiaire.

Ce jour-là, Jennifer reçut des cadeaux : Alex lui fit apporter un petit vase, Michael une orchidée et Ronald un recueil de poèmes.

Elle feuilletait le livre quand Ellie entra avec le courrier qui lui était destiné. Il y avait une lettre de Jane, une carte de vœux de Mlle Burnham et une grande enveloppe qui ne portait pas le nom de l'expéditeur.

Elle sortit de celle-ci un croquis représentant un

paysage hivernal — les nuages étaient sombres, les arbres dénudés — dans lequel courait un lièvre. Le croquis n'était pas signé, mais elle avait compris qu'il était l'œuvre de Brendon Meade. Ainsi, Brendon Meade n'était pas seulement un scientifique !

— Madame Dorinda a annoncé que vous descendriez dîner, dit Ellie.

— Oui, Dieu merci !

— Maintenant, c'est cette pauvre madame Mainwaring qui a la grippe, mademoiselle...

— Oh !... J'espère que ce n'est pas moi qui la lui ai « passée » !

— Certainement pas, mademoiselle ! Il y a une épidémie...

Jennifer éprouva quelque soulagement après le dîner : elle se trouva seule avec Ronald.

Quand ils furent installés au salon, Ronald lui dit :

— Ma pauvre petite Jennifer, vous avez dû passer un mauvais moment ! Etes-vous sûre que vous êtes tout à fait guérie ?

Jennifer négligea de répondre à la question...

— Le jour même où je suis tombée malade, j'ai rencontré Minette en ville, Ronald... Elle était bouleversée !

— Il y avait de quoi !

Jennifer lui rapporta les dénégations véhémentes de Minette quant aux lettres anonymes.

— Je suis navrée pour elle, Ronald ! Sans travail et malade...

— Vous ne vous attendiez tout de même pas à ce qu'on la garde après cela ?

— Mais, êtes-vous sûr qu'elle est l'auteur des messages ?

— Absolument !

— Elle a avoué ?

Ronald ne répondit pas immédiatement...

— Non. Mais, madame Cuddy l'a vue sortir de votre chambre. Nous étions chez les Miller... Elle a reconnu être allée dans votre chambre pour y déposer l'enveloppe que quelqu'un lui avait remise à votre intention !

— Pourquoi ne serait-ce pas vrai, Ronald ? Si madame Cuddy l'a vue, elle a dû voir madame Cuddy ! Si elle avait écrit elle-même les messages, elle aurait attendu un moment avant d'entrer dans ma chambre.

— Elle n'a pas vu madame Cuddy ! Madame Cuddy était dans un renfoncement, en train de trier du linge...

— Cela ne prouve pas qu'elle soit coupable, Ronald !

— Selon elle, c'était Cuddy qui lui avait remis la lettre. J'ai interrogé Cuddy, bien entendu ! Vous avez dû remarquer qu'il n'avait pas l'esprit vif ? Ce doit être pour ça que Minette l'a impliqué...

— Et vous avez cru Cuddy plutôt que Minette...

— Il était évident que c'était Minette qui mentait. De plus, Cuddy n'avait aucune raison de vouloir vous effrayer.

— Mais, Minette non plus !

— Elle a peut-être cru en avoir une ! (Ronald parut légèrement gêné.) Il y a quelques mois, son plus jeune frère a eu des problèmes avec la justice et j'ai demandé à Vic Miller de le défendre. Le garçon a été acquitté et Minette me considère depuis comme son sauveur. La dévotion qu'elle avait pour moi me gênait, mais je m'en suis accommodé jusqu'à cette affaire...

Jennifer se souvint de ce que la mère de Ronald lui avait dit : celui-ci se trouvait entraîné dans des histoires dont il ne savait jamais comment se sortir...

— Vous voulez dire que Minette était jalouse de moi ?

— C'est cela même !

Jennifer ne dit rien, pensive : elle connaissait Elaine, Minette, avait entendu parler de Mlle Bowden... Combien d'autres avaient soupiré ?

— Le passé est le passé, Jennifer ! Je regrette que cela soit arrivé, car je voulais que votre séjour soit agréable ! Mais, tout n'est pas perdu...

— Sans doute, répondit Jennifer machinalement.

— Et si on s'embrassait pour marquer le début de cette nouvelle étape ?

Jennifer ferma les yeux.

Comme rien ne venait, elle les rouvrit. Dorinda se tenait dans l'embrasure de la porte.

— Qu'y a-t-il, tante Dorinda ? dit Ronald.

— Ta mère va très mal. J'ai appelé le médecin.

Une voiture s'arrêta bientôt devant la maison.

Dorinda alla accueillir Brendon Meade.

— Vous devriez peut-être regagner votre chambre et y rester, dit Ronald à Jennifer. Je ne voudrais pas que vous fassiez une rechute !

Il déposa un baiser sur sa joue et elle se leva.

Jennifer était sur le point de s'endormir quand elle entendit des voix. Elle dressa l'oreille.

— Je vous conseille de la faire hospitaliser, dit Brendon Meade.

Elle n'entendit pas bien la réponse de Dorinda, mais apparemment elle rejeta l'idée du médecin.

— Je ne peux pas prendre cette responsabilité ! lança Brendon Meade.

Michael intervint de sa voix douce, mais Jennifer ne comprit rien de ce qu'il disait.

Brendon Meade renouvela son conseil avec plus d'insistance.

Jennifer en conclut que l'état d'Ada s'était sérieusement aggravé.

Quand Jennifer se réveilla — elle avait très bien dormi —, elle se sentit en pleine forme.

Elle rencontra Alex dans l'escalier. Il lui sourit et lui demanda comment elle allait.

— Je vais très bien !

Il lui indiqua qu'il irait faire une course dans l'après-midi.

— Mais, vous pourriez venir avec moi, Jennifer ? Cela vous ferait du bien de sortir !

Jennifer accepta sans hésiter : cette sortie en la compagnie d'Alex lui permettrait peut-être de découvrir des indices.

Elle était encore troublée d'avoir indirectement
provoqué le renvoi de Minette. Malgré ce que lui avait
dit Ronald, elle était convaincue de l'innocence de
celle-ci. Ronald avait agi précipitamment et elle
n'était pas certaine que Minette accepterait de revenir
à *Meadowood* si elle réussissait à prouver son innocence. Mais au moins on pourrait lui donner un bon
certificat !

Jennifer espérait qu'Alex lui parlerait de la véritable personnalité de Cuddy. Elle ne croyait pas qu'il
n'était qu'un maladroit qu'on ne gardait qu'à cause
des talents de sa femme. Au premier regard elle l'avait
jugé fourbe. Avait-il voulu punir Minette d'avoir
refusé ses avances ? Ronald avait affirmé que Cuddy
n'avait aucune raison de vouloir la chasser de la maison, mais...

La voiture n'avait pas parcouru une centaine de
mètres que Jennifer orientait la conversation sur ce
qui l'intéressait...

— Savez-vous que je vous tiens pour quelqu'un
de très observateur ? dit-elle.

En guise de réponse, Alex lui sourit.

— Dès mon arrivée j'ai eu l'impression que
quelqu'un était irrité de ma venue...

Alex se contenta de hocher la tête.

— Vous êtes d'accord avec moi ?

— Il y a toujours quelqu'un à qui notre présence
déplaît !

— Savez-vous qui aimerait me voir partir ?

— J'ai ma petite idée, mais, comme je ne peux rien prouver... (Alex sourit à Jennifer.) Moi, je suis très content que vous soyez à *Meadowood* !

Jennifer éprouvait quelque découragement : Alex avait donc « sa petite idée », mais il refusait de la lui communiquer.

A Los Santos ils allèrent acheter un sapin.

Alex examina des rangs et des rangs de sapins, les yeux brillant d'excitation.

— Il faut trouver le sapin idéal ! dit-il.

Le marchand, un petit homme trapu, regarda Alex comme on regarde un excentrique, ce qui ne troubla pas le moins du monde celui-ci.

Il désigna l'un des sapins.

— Il vous coûterait un peu plus cher, mais il est parfait.

— J'en cherche un qui soit un plaisir pour les yeux mais qui ne soit pas parfait ! répliqua Alex avec un large sourire. Un arbre non parfait inspire l'affection, vous ne trouvez pas ?

Cette fois le marchand haussa les épaules.

Alex trouva enfin l'arbre qu'il cherchait.

Ils retournèrent avec à la voiture, le placèrent sur le toit.

Alex ne semblait plus le même homme.

Non seulement il conduisait à une vitesse folle, mais il parlait sans que Jennifer l'eût interrogé...

— Voyez-vous, je suis d'une famille nombreuse... Et nous étions pauvres car mon père n'avait pas du tout le sens des affaires. Mais il était adorable... (Alex jeta un coup d'œil sur Jennifer.) Noël n'était pas tel qu'on en parlait dans les revues pour nous : pendant toute mon enfance, nous n'avons jamais eu de quoi acheter un sapin. Les cadeaux, nous les confectionnions nous-mêmes avec ce que nous trouvions... Tous, nous avions fait le vœu d'avoir un magnifique sapin à chaque Noël...

Jennifer n'osait lui demander comment il avait rencontré Dorinda. Elle était d'une famille aisée...

— Vous vous demandez comment Dorinda et moi nous sommes-nous rencontrés, n'est-ce pas ?

— Vous lisez dans les pensées ?

— Parfois... Dorinda et moi, nous nous sommes rencontrés dans une maison de repos près de Los Santos. J'avais été engagé pour enseigner les travaux manuels aux malades et Dorinda venait travailler volontairement là-bas.

Alex n'en dit pas plus.

Jennifer s'efforça de ne penser à rien. Puisque cet homme était si perspicace...

A 17 heures ils finirent de décorer le sapin.

Seul un expert aurait pu remarquer que le feuillage était plus épais d'un côté que de l'autre...

— Le plus beau sapin que j'aie jamais vu ! s'écria Mary Cuddy.

Elle leur apportait du vin chaud pour les récompenser.

On sonna et elle se précipita pour aller ouvrir.

Brendon Meade arriva bientôt.

— Buvez donc un verre de vin chaud avec nous, Brendon ! dit Alex.

Brendon Meade ôta son manteau et le remit à Mary Cuddy.

Il paraissait fatigué.

— Je parierais que la grippe vous tient en alerte vingt-quatre heures sur vingt-quatre ! dit Alex.

Brendon Meade prit le verre que lui tendait Mary Cuddy.

— Il me semble que la grippe arrive toujours au moment des vacances ! dit-il enfin. Quand on néglige de consulter le médecin... Elaine Mercer est à l'hôpital avec une pneumonie.

— C'est grave ?

— Je le crains. Elle ne réagit pas comme je le voudrais et comme elle est de faible constitution...

Il s'interrompit en entendant du bruit. Il y eut un cri, un claquement de porte...

Le médecin se précipita.

— Croyez-vous que je doive monter ? dit Jennifer.

— Ce n'est pas la peine ! répondit Alex. Brendon, Dorinda et Mary Cuddy sont déjà là-haut ; ils nous appelleront s'ils ont besoin d'aide. Nous dérangerions autrement...

— J'ai l'impression que quelqu'un s'est blessé...

— Ma belle-sœur a souvent de brusques crises de terreur, dit calmement Alex. Mais ils vont la calmer.

Jennifer frissonna. Quel cri ! Un cri de douleur sûrement, pas un cri de peur.

Ce calme qu'affichait Alex, n'était-ce pas de l'indifférence ?...

Elle le regarda : il avait fermé les yeux et semblait être plongé dans une profonde méditation.

Jennifer tendit l'oreille, mais elle n'entendit rien.

Cleone arriva un peu plus tard.

— Ce sapin est magnifique ! dit-elle. (Alex était assis et avait les yeux fermés.) C'est bien la voiture de Brendon qui est devant la maison ?

Ce fut Jennifer qui répondit.

— Oui. Le docteur Meade est en haut.

— Je vais lui parler : on m'a dit qu'Elaine était à l'hôpital.

Cleone alla rejoindre les autres.

Cinq minutes plus tard, Dorinda et le médecin entraient dans le salon.

— J'espère que ce n'était pas trop grave ? dit Jennifer qui avait remarqué l'air inquiet de Dorinda.

— Un accident ! répondit celle-ci. Madame Cuddy versait le thé et elle s'est ébouillantée, je ne sais trop comment. Elle a eu plus de peur que de mal ! (Elle se tourna vers le médecin.) J'espère que vous allez accepter de dîner avec nous ?

— Je ne le peux malheureusement pas ! dit Brendon Meade. J'ai quelqu'un à voir à l'hôpital.

Pensant qu'il pouvait avoir à dire quelque chose à Dorinda et à Alex en particulier, Jennifer regagna sa chambre.

CHAPITRE IX

Jennifer s'habillait pour le dîner quand on frappa à la porte. Ellie Tate entra et lui tendit une feuille sur laquelle Brendon Meade avait écrit : *Vous serait-il possible de passer à mon cabinet demain après-midi ?*

— Le docteur Meade est-il encore là ? demanda Jennifer.

— Non, mademoiselle. Il m'a chargée de vous dire de ne pas parler de ce mot aux autres...

— Merci beaucoup, Ellie.

Ce qui était une sorte de convocation intriguait Jennifer...

Elle descendit.

Elle allait entrer dans le salon quand elle entendit Cleone :

— Ce n'est pas seulement la grippe ! Brendon a peur de complications. Elle est gravement malade ; cela faisait longtemps qu'elle allait mal et...

Elle s'interrompit en voyant Jennifer.

— Jennifer, quelle jolie robe vous avez ! s'écria Dorinda. Ce rose vous va très bien. Mais, vous êtes toujours très jolie. Ce n'est pas Ronald qui me contredira !

— Toujours ! dit Ronald en se levant.

Sa pâleur et son manque d'appétit inquiétèrent sa tante. Il paraissait épuisé.

— Tu travailles trop, Ronald ! dit-elle. Je pense que tu ferais bien d'aller te coucher tout de suite après le dîner !

— C'est ce que je vais faire ! dit Ronald. Je suis fatigué, mais je n'aurai plus à travailler autant désormais !

Après le dîner, Jennifer alla prendre des nouvelles de Mary Cuddy. Celle-ci essayait de faire la vaisselle avec une seule main, l'autre étant bandée.

— Je vous en prie, laissez-moi la faire !

Mary Cuddy céda la place à Jennifer et se laissa tomber dans un fauteuil.

— Cuddy avait promis de revenir m'aider pour la vaisselle ! dit-elle. Il n'est jamais là quand on a besoin de lui, mais quand il s'agit de se mêler de choses qui ne le regardent pas, il est là avant les autres !

— Heureusement que le médecin était là quand c'est arrivé !

— Oui, j'ai eu de la chance. Le docteur Meade est très bien ! On devrait l'écouter un peu plus ici ! Certains s'imaginent qu'ils savent mieux que lui ce qu'il faut faire... Si l'état de madame Mainwaring empirait, ce ne serait pas le docteur qu'il faudrait blâmer !

— Vous voulez dire que c'est de la faute de Dorinda ?

— Je ne cite personne ! Je vais vous dire une bonne chose, mademoiselle : si j'étais à la place du docteur, je ne leur laisserais pas le choix, ou ils feraient ce que je dis ou je ne m'occuperais plus de madame Mainwaring ! (Mary Cuddy regarda par la fenêtre.) Voilà Cuddy ! Ne lui dites rien ! Je vous ai parlé plus que je n'aurais dû, mais parfois j'ai tellement besoin de parler...

Cuddy entra dans la cuisine.

— Je suis désolé d'arriver si tard, mais j'avais quelque chose à faire, dit-il.

— Qu'avais-tu donc de si important à faire ? demanda Mary Cuddy.

— Tu veux vraiment le savoir ? répondit-il en lorgnant vers Jennifer.

La sonnerie du téléphone retentit.

— Va répondre, Cuddy !

— J'y vais, j'y vais, marmonna-t-il.

Quand il passa devant elle, Jennifer sentit une odeur de whisky.

Tout était en ordre quand il revint.

— Pourquoi as-tu été si long ?

— Madame Mainwaring m'a sonné...

— Et qui a appelé ?

— Le maire. Il voulait parler à monsieur Ronald, mais celui-ci était déjà parti.

Jennifer allait protester, mais il expliqua :

— Je l'ai vu partir en douce avec mademoiselle Cleone... Les magasins sont ouverts ce soir ; je suppose qu'ils allaient acheter des cadeaux de Noël...

Jennifer aurait aimé être convaincue par cette explication, mais elle pensait que Cleone avait entraîné Ronald à l'hôpital. Il était donc parti pour

voir son ancienne amie... Elle, quand elle avait été
cloîtrée, il ne lui avait pas rendu visite !

Jennifer ne monta pas à sa chambre. Après y avoir
été retenue par la grippe, elle aspirait à y passer le
moins de temps possible. Elle alla donc s'installer au
salon, où elle fut bientôt rejointe par Dorinda qui
semblait ennuyée.

— J'espère que madame Mainwaring va mieux ?
dit Jennifer.

— Elle ne va pas bien et il n'est pas facile de lui
faire garder le lit ! soupira Dorinda.

— Je vais lui rendre une petite visite.

— Je ne vous le conseille pas ! rétorqua Dorinda
d'une voix aiguë. Ada a horreur qu'on la voie quand
elle est malade... (Dorinda avait de nouveau une voix
douce.) Comme le dit Alex, à cette époque de l'année
tout le monde est fatigué et manque de vitalité.

Le téléphone sonna et elle se précipita pour aller
répondre.

Elle revint quelques minutes plus tard.

— C'était pour Ronald, mais il n'est pas là.
Cleone a dû le convaincre d'aller à l'hôpital voir
Elaine. Elle paraît vouloir les réconcilier ! (Dorinda
secoua la tête.) Je ne comprends pas pourquoi, après
la façon dont cette fille a traité Ronald...

— Elle n'a peut-être pas eu à insister beaucoup...

Dorinda fixa Jennifer avec attention.

— Vous vous trompez ! Ronald m'a bien dit que
c'était fini entre Elaine et lui, mais il a bon cœur et
Cleone aura su en profiter. Elle a sans doute exagéré
la gravité de l'état d'Elaine ! Ah ! quand Cleone a

décidé quelque chose ! Si elle a décidé de réconcilier
Ronald et Elaine, elle fera tout pour vous écarter !

— Peut-être suis-je aussi un obstacle pour
Ronald ?

— Certainement pas ! Vous lui plaisez et je suis
sûre qu'il a appris sa leçon : Elaine lui en a fait voir de
toutes les couleurs ! (Dorinda fixa Jennifer.) Depuis
qu'il vous a rencontrée, il est différent, Jennifer ! Il
n'est plus aussi dépressif...

Une porte s'ouvrit à l'étage et Ellie cria, du haut
de l'escalier :

— Madame Dorinda !

Dorinda soupira, se leva et alla à la porte.

— Qu'y a-t-il donc, Ellie ?

— Pourriez-vous monter ? C'est à cause de
madame Mainwaring...

Dorinda partit et Jennifer resta à contempler le
feu dans la cheminée. Le matin elle avait été
d'humeur euphorique ; à présent elle était désorientée.
Si, comme elle le pensait, Ronald était allé voir
Elaine, elle aurait dû être contrariée. Or, même le
léger ressentiment qu'elle avait éprouvé avait disparu.

Pourquoi Dorinda était-elle si nerveuse ? Pourquoi s'était-elle précipitée à l'appel d'Ellie ? Ada
Mainwaring était-elle plus malade qu'elle ne le suppo-
sait ?

Toutes ces questions la troublaient.

Son séjour à *Meadowood* n'avait pas eu le résultat
escompté : elle était venue là pour mieux connaître
Ronald...

Si elle n'avait pas éprouvé de la sympathie pour

lui, elle ne serait pas venue à *Meadowood*. Mais elle
avait sa fierté ! En allant voir Elaine en cachette, il la
plaçait dans une situation difficile ! Cleone, elle,
devait être satisfaite.

Mais, que lui importait Cleone ? Seul l'intéressait
le sentiment qu'éprouvait Ronald pour Elaine. Et,
elle, quels étaient ses sentiments, en définitive ?
Ronald avait été le prince Charmant auquel rêvaient
toutes les jeunes filles. Mais, était-elle amoureuse de
lui ?

Alex entra dans le salon et s'installa à côté d'elle
sur le canapé.

— Aimeriez-vous en parler avec moi, Jennifer ?

Elle le dévisagea, effrayée cette fois : lisait-il vraiment dans les pensées ?

— Aimeriez-vous parler de ce qui vous trouble ?

— Je commence à penser que c'était une erreur
que de venir à *Meadowood*...

— Une erreur ?

— Je suis dans une situation fort délicate !

— Parce que Ronald est allé voir Elaine à l'hôpital ?

Jennifer acquiesça en se demandant comment il le
savait.

— Cela ne veut rien dire ! Peut-être que Ronald
voulait la revoir seulement pour se prouver quelque
chose ?

— Pour savoir s'il l'aimait encore ou non ?

— Parfaitement.

— Pourquoi suis-je venue à *Meadowood* ?

— Nous ne savons pas toujours pourquoi nous faisons telle chose ou telle chose... C'est parfois le Destin qui nous pousse !

Jennifer exhala un profond soupir.

— Mais, si je suis ici, c'est parce que je l'ai bien voulu !

— Comme le poète, je crois que le Destin guide nos pas... Je pense que c'est le Destin qui vous a conduite à *Meadowood*.

— Vous vous trompez ! Je suis venue parce que j'ai été flattée par les attentions de Ronald et parce que j'espérais m'éprendre de lui.

— Vous n'êtes pas amoureuse ?

Jennifer ne sut pas très bien quoi répondre.

— Cela aurait pu arriver si nous avions pu nous voir normalement, mais... Oh ! il faut que je m'en aille ! Je ne veux pas blesser Ronald, mais quelque chose me dit qu'il faut que je parte !

Alex ne commenta pas.

— Vous ne croyez pas ?

— Non. Je pense que ce serait une grave erreur. Le Destin vous a conduite ici et il y a une raison à cela.

Alex parlait d'une voix basse et grave qui avait un effet hypnotique sur Jennifer.

— Bien sûr, c'est à vous qu'appartient la décision, Jennifer !

A 10 h 30, Brendon Meade alla voir Elaine à l'hôpital. Elle était assise dans son lit et ses joues étaient légèrement colorées. Elle se souvenait de la

visite de Ronald et ses yeux bleus brillaient. Elle sourit
au médecin.

— Je n'ai pas besoin de regarder votre dossier
pour voir que vous allez mieux ! dit Brendon.

— Pourrai-je rentrer chez moi aujourd'hui ?

— Certainement pas !

— Mais, vous venez de dire que j'allais mieux !

— Vous allez mieux, mais vous devrez rester
encore deux ou trois jours sous surveillance médicale.
Une rechute serait très dangereuse...

— Les médecins sont tous les mêmes ! Une fois
que vous êtes entre leurs mains, ils font tout pour
vous garder !

— Les malades sont tous les mêmes ! Dès qu'ils
vont un petit peu mieux, ils se croient en excellente
santé !

Bons amis, ils bavardèrent quelques instants.

Brendon s'en alla en pensant que vingt-cinq ans
plus tôt Elaine serait morte. Mais, sa guérison n'était-
elle due qu'aux médicaments ? Bien souvent l'attitude
du malade jouait un grand rôle dans le déroulement
de la maladie, et c'était pour cela qu'il s'était tellement inquiété pour Elaine. Elle lui avait paru abattue,
sans aucune envie de lutter. Oui, il avait craint qu'elle
ne se laissât emporter sans résister... Et voilà qu'elle
semblait parfaitement guérie ! Il était persuadé qu'elle
était tirée d'affaire.

Quelque chose l'avait-il incitée à vivre ?

En tout cas, Elaine était une fille remarquable !

Il pensa alors à Jennifer, comme il le faisait souvent à présent.

Il attendait sans impatience de la voir l'après-midi : cette rencontre allait être difficile, mais elle était nécessaire. Elle avait besoin que quelqu'un la conseillât, lui montrât la gravité de la situation. S'il ne lui parlait pas lui-même, qui le ferait ? Il aurait été préférable que quelqu'un de désintéressé intervînt, certes, mais nécessité faisait loi...

Michael devait se rendre à Los Santos dans l'après-midi pour acheter de la tourbe pour ses chères plantes. Jennifer prétexta qu'elle avait des courses à faire.

Il la déposa dans la grand-rue.

Le cabinet de Brendon était tout près.

En arrivant devant le bâtiment moderne, Jennifer jeta un coup d'œil sur sa montre : il était 15 heures.

Angela Platz l'accueillit poliment.

Elle la conduisit à la petite salle d'examens.

— Le docteur Meade va arriver ! annonça-t-elle.

Jennifer la remercia et s'assit.

Quelques minutes plus tard, Brendon entra, en blouse blanche et le stéthoscope suspendu au cou.

— Merci d'être venue ! dit-il. Il faut que je vous parle, mais je suis en retard dans mes rendez-vous... Il y a un café, de l'autre côté de la rue ; pourrions-nous nous y retrouver dans une heure ?

Jennifer regagna la grand-rue.

Elle entra dans un magasin de parfumerie, choisit quelques produits de beauté.

Alors qu'elle était à la caisse, elle vit Cuddy, qui traînait dans le magasin.

Quand il l'aperçut, il lui fit un grand sourire.

Il l'attendit à la porte.

— Je vous ai vue sortir de chez le docteur il y a un petit moment, dit-il de son air déplaisant.

— Ah oui ?

— Je suis venu acheter des choses pour madame Mainwaring... J'ai la voiture dehors et je serais heureux de vous raccompagner...

— Je vous remercie, Cuddy, mais je ne rentre pas tout de suite.

— Je ne suis pas pressé !

— Je risque d'être longue !

Pour rien au monde elle ne serait partie seule avec ce petit homme au regard pervers et au souffle fétide.

— Comme vous voulez ! dit-il, l'air légèrement blessé. Faites bien attention à vous, mademoiselle !

Jennifer le regarda s'éloigner, pensive. « Faites bien attention à vous ! » Cela avait sonné comme une menace à ses oreilles...

Le visage de Brendon s'éclaira quand il aperçut Jennifer.

— Vous n'avez dit à personne que je vous avais fixé ce rendez-vous ? lui demanda-t-il sur un ton inquiet.

— Non, mais Cuddy m'a vue sortir de chez vous.

— Alors tout le monde à *Meadowood* va savoir !

Vous pourrez toujours dire que vous êtes venue pour une visite de contrôle.

— Mais, pourquoi tous ces mystères, Brendon ?

— J'ai mes raisons pour vouloir que notre entretien reste secret...

Une serveuse vint prendre la commande et s'éloigna. Brendon attendit qu'ils fussent servis.

— Ce que je vais vous dire va peut-être vous sembler étrange... Je ne vous parle pas en tant que médecin mais en tant qu'ami. J'espère que vous me considérez comme un ami ?

Toujours aussi intriguée, Jennifer acquiesça.

— Bien ! Sachez que vous ne devez pas demeurer à *Meadowood* !

Jennifer se sentit offensée.

— Est-ce quelqu'un de *Meadowood* qui vous a suggéré de me conseiller cela ? demanda-t-elle sèchement.

— Pas du tout ! Et avant de poursuivre, je voudrais d'ailleurs que vous me promettiez de ne répéter à personne ce que je vais vous confier.

— Je... Je ne dirai rien !

— Minette est venue me voir hier ; je la soigne pour une grippe. Je ne sais pas si vous le savez, mais elle travaillait pour ma femme et moi avant...

— Elle me l'avait dit...

— Quand ma femme est morte, j'ai recommandé Minette à Ronald sans hésitation, car nous la trouvions très efficace et digne de confiance.

— C'est aussi l'impression qu'elle m'a faite.

— Imaginez ma consternation quand j'ai appris

qu'on l'avait renvoyée et dans quelles circonstances.

Jennifer rougit légèrement, mais elle ne dit rien.

— Selon elle, vous avez reçu une lettre de menace le soir même de votre arrivée à *Meadowood* et une autre un peu plus tard…

— Le fait est !

— Et vous ne vous êtes sentie ni effrayée ni menacée en restant à *Meadowood* ?

Le regard direct de Brendon mettait Jennifer mal à l'aise. Minette n'avait-elle pas émis l'hypothèse qu'elle était elle-même l'auteur des messages ? Elle aurait pu vouloir semer la discorde à *Meadowood*.

— J'estimais que ces lettres ne constituaient pas une raison suffisante pour que je quitte *Meadowood*. Une seule personne les a écrites et dans l'ensemble la famille de Ronald s'est montrée très aimable et accueillante…

— Mais, celui qui a écrit les lettres veut vous effrayer ! Le jour où je suis venu vous examiner, Cleone m'a rapporté le cauchemar que vous aviez fait…

Jennifer porta inconsciemment la main à sa gorge.

— Elle m'a dit que vous étiez persuadée qu'il y avait eu quelqu'un dans votre chambre, que vous paraissiez épouvantée.

Jennifer se mordilla la lèvre avec exaspération.

— Vous pensez probablement que je suis névrosée !

— Bien au contraire, vous semblez être une jeune femme sensible et bien équilibrée. Si vous pensez qu'il y avait quelqu'un dans votre chambre, c'est qu'il y avait quelqu'un, j'en suis sûr... Cette personne vous a-t-elle touchée ?

Jennifer porta de nouveau la main à sa gorge.

Elle remarqua que Brendon la fixait avec intensité.

— A-t-on essayé de vous étrangler, Jennifer ?

— Non ! On m'a seulement effleurée... Et rien ne prouve que je n'étais pas en train de rêver ! Je me sentais tellement bizarre ce soir-là, comme si j'avais été droguée...

— Et pourtant vous êtes restée...

— J'ai cru que c'était mon imagination qui me jouait des tours... Ces messages de menace sont à l'origine de tout...

— Vous commenciez à douter de vous-même, n'est-ce pas ?

— J'étais malade, désorientée.

— Et très effrayée... Jennifer, ne voyez-vous pas comme tout cela est malsain ? Ne croyez-vous pas qu'il serait prudent de rentrer chez vous ?

« Pourquoi paraît-il tellement inquiet ? » se demanda Jennifer. Il lui vint à l'idée que la famille de Ronald l'avait chargé d'intervenir pour l'inciter à partir. Mais elle se souvint que la veille Alex lui avait conseillé de rester. Elle ne savait vraiment plus que penser !

— Cela vaudrait peut-être mieux, en effet, admit-elle.

Il parut soulagé.

— Ce doit être dur pour vous ; vous n'aviez sûrement pas imaginé que votre séjour se passerait ainsi...

— Oh ! je savais que la famille de Ronald trouverait étrange que je fasse irruption à *Meadowood*, mais je pensais qu'ils finiraient par m'accepter !

— Vous seriez arrivée à les séduire tous, je pense...

Brendon eut un tel sourire que Jennifer sourit à son tour.

— Je vais réfléchir à tout cela ! Je ne tiens pas à blesser Ronald, mais...

— C'est pour vous que je m'inquiète, pas pour lui. Je ne lui en suis pas moins reconnaissant de m'avoir permis de vous rencontrer. Sans lui...

Jennifer rougit. Pourquoi son cœur battait-il si rapidement ?

— Alex pense que si le destin de deux personnes est de se rencontrer, elles se rencontreront, murmura-t-elle, écarlate.

Il allait penser qu'elle avait pris sa remarque très au sérieux.

— C'est bien ce qui s'est passé, dit-il doucement. (Il regarda sa montre.) Allons, venez, Jennifer, avant que je n'oublie que Ronald est l'un de mes amis ! Je vais vous raccompagner à *Meadowood*.

Qu'avait-il voulu dire ? qu'il était attiré par elle mais qu'à cause de Ronald il devait lutter ?

Cleone était dans le vestibule, en train d'arranger un bouquet de fleurs, quand Jennifer rentra.

— Bonjour ! dit-elle. J'avais cru entendre la voiture de Brendon...

— C'était elle. J'ai rencontré le docteur Meade en ville et il m'a proposé de...

— Vous l'avez rencontré en ville...

Le ton ironique de Cleone montrait que Cuddy avait fait son rapport.

— En fait, je suis allée à son cabinet car j'avais besoin d'une ordonnance...

Jennifer n'avait pas l'habitude de mentir, mais elle avait fait une promesse à Brendon.

— Je suppose que vous le trouvez terriblement attirant ? Je dois vous prévenir que toutes ses clientes sont amoureuses de lui. Brendon a le chic pour faire croire à toutes les filles à qui il parle qu'elles ont de l'importance pour lui !

CHAPITRE X

— Il faut manger, madame Mainwaring ! dit Ellie
Tate en posant le plateau à côté du lit. Comment
voulez-vous aller mieux si vous ne mangez pas plus
qu'un oiseau-mouche ?

Elle parlait mécaniquement, sans se préoccuper de
la réaction d'Ada Mainwaring qui, assise dans son lit,
regardait d'un air dégoûté le plateau. Elle pensait à sa
fille, qui était si pâlotte et qu'elle avait dû laisser pour
venir dans cette maison de fous !

Il tardait à Ellie que Dorinda trouvât quelqu'un.
Elle, elle ne tenait pas à être à l'entière disposition des
Mainwaring !

« Que ne suis-je en ce moment auprès de ma
Melody ! se dit-elle. Cette Ada Mainwaring n'a pas de
fièvre et elle pourrait fort bien descendre dîner avec
les autres ! »

— Mangez au moins cette belle côtelette,
madame !

Ces côtelettes coûtaient cher, Ellie le savait ! Elle
devrait néanmoins en prendre une le lendemain, pour
Melody...

Ada ne répondit pas. « C'est comme si je n'existais pas ! » se dit Ellie.

On frappa doucement à la porte et elle alla ouvrir. Cuddy était là, qui tenait un carton.

— Elle ne dort pas encore ? demanda-t-il.

— Qui est-ce ? lança Ada.

— C'est monsieur Cuddy, madame !

Il entra et alla jusqu'au lit.

— Je vous ai apporté le paquet.

— Vous avez tout trouvé ?

— Oui.

Ellie s'avança.

— Qu'y a-t-il, Ellie ?

— Il faut que je téléphone chez moi, madame ; ma fille n'était pas très bien et...

— Allez-y ! dit Cuddy. Je resterai là jusqu'à votre retour. Prenez tout votre temps !

Ronald et Jennifer avaient oublié qu'Anton et Charlotte Ross donnaient leur conférence ce soir-là. Ce fut Dorinda qui le leur rappela.

— Je suppose que Vic et Bella ne comprendraient pas que nous n'y assistions pas ! dit Ronald.

Il paraissait détendu, comme si la visite qu'il avait rendue à Elaine lui avait permis de dissiper quelques-uns des doutes qui l'avaient assailli. Il s'était montré spécialement attentionné envers Jennifer durant tout le dîner...

— Alex ne manquerait pour rien au monde cette conférence, dit Dorinda, qui semblait tout aussi impatiente d'y assister. Tu viens avec nous, Cleone ?

— Non, je sors ce soir, répondit celle-ci.

— Avec Matthew Rank, dit Alex en souriant affectueusement à sa nièce.

— Matthew Rank, l'artiste ? s'écria Dorinda. Mais, c'est magnifique !

— Ce n'est rien du tout ! dit Cleone. Il m'a appelée juste avant le dîner ; il voulait que je rencontre les amis chez qui il habite à Los Santos.

— Rien du tout ? répliqua Dorinda sur le même ton. C'est l'un des artistes les plus prometteurs actuellement ! Mais, comment l'as-tu connu ?

— Il est venu au magasin aujourd'hui. Je ne le connaissais pas et oncle Alex me l'a présenté.

— Mais vous faisiez déjà une bonne paire d'amis quand je suis arrivé ! dit l'oncle.

— Oui, le courant passait entre nous, admit Cleone en baissant les yeux.

— Il est temps que tu fondes ta propre famille ! lança gaiement Dorinda.

— Tante Dorinda, ce n'est qu'un simple rendez-vous !

— C'est ce que j'ai dit à ma mère la première fois que je suis sortie avec Alex. Et tu as déjà changé, Cleone !

Jennifer l'avait remarqué. Cleone avait changé depuis leur conversation une heure auparavant !

— Dommage que Minette ne soit plus là pour te coiffer !

— Je crois que Matthew Rank a trouvé la coiffure

de Cleone tout à fait satisfaisante, dit Alex en regardant Cleone.

— Quel marieur tu fais, oncle Alex ! Jennifer va croire que tu es terriblement pressé de me voir mariée. Suis-je aussi gênante que tu veuilles te débarrasser de moi ?

Cleone était cependant ravie de l'attention qu'on lui portait et contente de ce rendez-vous, c'était évident. Elle s'excusa et alla se préparer.

Son oncle et sa tante se regardèrent alors d'un air entendu.

— Ce serait merveilleux si elle tombait amoureuse ! dit Dorinda. Je commençais à craindre que le penchant qu'elle a toujours éprouvé pour Brendon Meade ne l'empêche de remarquer les autres. Ne le craignais-tu pas aussi, Michael ?

— Qu'est-ce qu'il y a ? dit Michael en portant la main à l'oreille.

— Je disais que Cleone perdait son temps à soupirer après Brendon Meade alors qu'il était évident qu'il ne la considérait que comme une amie.

— Brendon Meade ? Un garçon très gentil ! Cleone sort avec lui ce soir ?

— Non ! Elle sort avec un artiste !

— Tu n'as pas besoin de crier comme ça, Dorinda ! Et je ne vois pas pourquoi vous faites tant d'histoires ! Cleone a beaucoup de rendez-vous !

— Celui-là, elle l'attend avec impatience !

— Qu'est-ce que tu dis ?

— Ronald, explique à ton père, s'il te plaît ! Moi,

je vais voir Ada et demander à Cleone si elle n'a pas besoin d'aide.

Quand Dorinda entra dans la chambre d'Ada, elle trouva celle-ci en train d'essayer d'ouvrir un carton. Cuddy était debout à côté du lit et la regardait faire.

— Que fais-tu, Ada ? Et où est Ellie ?

— Elle est allée téléphoner, dit Cuddy. Je lui ai promis de rester là jusqu'à son retour.

— Qu'y a-t-il dans ce carton ? demanda Dorinda en fronçant les sourcils.

— Quelque chose que Cuddy m'a rapporté, répondit Ada.

— Je vais l'ouvrir...

— Je peux très bien le faire ! Tu voulais quelque chose ?

— Je venais seulement voir si tu n'avais pas besoin de quelque chose. Nous sortons ce soir, mais Ellie va rester auprès de toi. Alors, n'as-tu besoin de rien ?

— Elle sort avec vous ?

— Jennifer ? Oui. Nous partirons dans deux voitures. Oh ! Ada, tu n'as rien mangé ! Souviens-toi de ce que je t'ai dit : ou tu te montres coopérante, ou nous devrons...

Dorinda s'interrompit alors qu'Ellie entrait.

Ronald et Jennifer arrivèrent à l'hôtel à 19 h 45. La salle était déjà pleine. Jennifer aperçut Dorinda et

Alex. Ils étaient installés au premier rang. Eux-mêmes durent se séparer.

Jennifer était toujours décidée à quitter *Meadowood* dès que possible. La bonne humeur de Ronald, l'excitation causée par le rendez-vous de Cleone, l'atmosphère détendue qui avait régné tout au long du dîner, n'avaient pas affaibli sa détermination.

Elle posa son manteau sur le dossier de sa chaise, se leva et quitta la pièce discrètement.

Elle entra dans une cabine téléphonique et composa le numéro de téléphone de sa tante. A la troisième sonnerie on décrocha. Ce fut l'un de ses cousins qui répondit. Elle demanda à parler à Jane sans dire qui elle était.

« — Allô ! »

Jennifer ne perdit pas de temps en paroles inutiles...

« — Ne dis pas à maman que j'ai appelé, Jane ; je ne veux pas l'inquiéter. J'ai un service à te demander : envoie un télégramme à *Meadowood* ; dis qu'on a besoin de moi de toute urgence à Merced. »

« — Qu'est-ce qui ne va pas, Jenny ? »

« — Je ne peux pas te le dire maintenant, Jane ! Fais ce que je t'ai demandé le plus tôt possible, je t'en prie, et ne dis rien à maman surtout. »

En sortant, Jennifer vit Anton Ross entouré d'admirateurs.

Il la reconnut et s'approcha d'elle.

— Mademoiselle West, c'est bien cela ?

Jennifer acquiesça.

— Nous devons quitter Los Santos demain et j'aimerais vous parler en privé, mademoiselle, de quelque chose de la plus haute importance. Vous pourriez m'appeler chez les Miller...

Il n'attendit pas sa réponse.

Jennifer regagna sa place : Bella Miller, resplendissante dans sa robe du soir dorée, était en train de présenter Anton Ross au public.

La conférence se déroula fort bien. En d'autres circonstances, Jennifer aurait été intéressée par les nombreuses anecdotes que rapportait Anton Ross pour appuyer sa théorie sur la perception extra-sensorielle. Mais elle était si préoccupée ce soir...

Dorothy Monroe était rentrée chez elle quelques jours auparavant et elle lisait les cartes de vœux qui étaient arrivées pendant son absence.

Elle fronça soudain les sourcils.

— Elle y est donc allée ! dit-elle.

Hume Monroe, surpris, leva la tête de son album de timbres.

— De qui parles-tu ?

— De cette amie de Ronald, celle qui est venue ici un soir avec lui...

— Mademoiselle West ?

— Oui, c'est ça.

— C'est gentil de sa part de t'envoyer une carte. Elle t'avait téléphoné, tu sais...

— Quand donc ?

— Juste après ton départ pour l'hôpital.

— Mais, tu ne me l'avais pas dit !

— Je l'avais complètement oublié.

— J'aurais voulu qu'elle n'aille pas à *Meadowood* ! J'ai essayé de l'en empêcher...

— Tu n'as absolument rien à te reprocher, ma chérie !

— J'aurais dû deviner que Dorinda l'inviterait... Elle n'aurait pas dû faire ça ! Pas maintenant, en tout cas !

— Ne te tracasse donc pas ! Souviens-toi de ce que le médecin a dit : tu ne dois pas t'agiter.

— J'aurais dû tout lui dire, lui expliquer pourquoi elle ne devait pas y aller, lui avouer que...

— Tu n'aurais pas pu le faire !

— Tu as raison, Hume !

Apercevant sa mère, Jane reposa précipitamment le combiné.

— Qui appelais-tu, Jane ?

— Euh !... L'horloge parlante !

— Ta montre est arrêtée ?

La mère prit le poignet de la fille.

— Je crois bien qu'elle retarde, Mam !

— Absolument pas : il est bien 20 h 10. Et qui appelait avant cela ?

— Mais...

— Robert m'a dit que quelqu'un t'avait demandée et je veux savoir qui c'était !

— Je... J'ai promis de ne rien dire !

— C'était Jennifer, n'est-ce pas ?

Jane dut trahir la promesse qu'elle avait faite à sa sœur...

Madame West dicta le texte du message au téléphone, donnant le nom de Jane comme celui de l'expéditrice.

— Son séjour à Los Santos s'est donc mal passé ! dit Jane.

— Je l'avais senti en lisant ses lettres !

— Moi, je n'ai rien senti du tout, Mam !

— Elle n'a rien dit de précis et c'est précisément cela qui m'a inquiétée, Jane !

Jennifer était très agitée. « Je serai bientôt auprès de maman et de Jane ! » se disait-elle. Comment Ronald accueillerait-il l'annonce de son départ, cela ne la tracassait nullement. Elle avait du mal à se souvenir de ce qui l'avait attirée vers lui. En allant rendre visite à Elaine secrètement, il avait perdu toute sa confiance. Elle partirait donc sans regret. Si elle n'était pas venue à *Meadowood*, peut-être se serait-elle éprise de lui ? Elle jeta machinalement un coup d'œil... Ronald n'était plus là !

Anton Ross avait terminé son exposé. Bella Miller invita les présents à lui poser des questions.

Une femme, fort élégante, posa la première question. Elle voulait savoir si « l'éminent conférencier »
pensait que l'aura existait.

— Je pense que chacun de nous a une aura et
même qu'une personne sensible peut la voir dans certaines circonstances.

Anton Ross paraissait bien sûr de lui !

— Voyez-vous la mienne ?

— Les conditions devraient être excellentes,
madame...

Une autre demanda à Anton Ross s'il disait toujours la vérité aux gens qui le sollicitaient.

— Voyez-vous, en chacun de nous il y a une part
de bien et une part de mal. Moi, je me concentre sur la
part de bien que je vois en chacun...

« Comme ce doit être utile de pouvoir voir l'aura
des autres, se dit Jennifer, de pouvoir regarder
quelqu'un et de savoir qui il est vraiment, de savoir
s'il vous veut du bien ou s'il vous veut du mal... »

Où était donc Ronald ?

Au bout d'une demi-heure Bella Miller annonça
que la conférence était terminée.

Certains se dirigèrent aussitôt vers la sortie,
d'autres, qui étaient désireux de parler personnellement à Anton Ross, allèrent vers l'estrade. Jennifer
aperçut Alex parmi ceux-là.

Dans le vestibule, elle trouva Ronald.

— Où étiez-vous donc ? Votre siège était vide et...

— La femme qui est venue s'asseoir devant moi

avait un immense chapeau et j'ai préféré rester debout au fond.

Jennifer continuait de penser à ce que lui avait dit Anton Ross : « J'aimerais vous parler de quelque chose de la plus haute importance… »

Il pleuvait fort et quelques femmes attendaient dans l'entrée qu'on avançât les voitures.

Ronald venait de sortir quand quelqu'un tira Jennifer par la manche. Elle tressaillit en voyant Cuddy.

— Excusez-moi, mademoiselle… Pourriez-vous dire à Monsieur et Madame que je suis parti chercher la voiture ?

Quelques minutes plus tard arrivaient Dorinda et Alex et elle les informa.

— C'est très bien ! dit Dorinda. J'espère que vous avez aimé cette soirée. Personnellement, je ne crois pas du tout à ces choses-là, mais cela m'amuse. Et toi, Alex, qu'en as-tu pensé ?

— C'était intéressant !

— Il m'a fait une consultation privée ! dit une femme qui se trouvait tout près d'eux. C'était fantastique ! Il savait tellement de choses sur moi !

— Je parie qu'il t'a demandé une forte somme en échange ! dit son compagnon.

— Puisque c'était une consultation privée…

Jennifer sourit en elle-même : elle n'aurait pas de consultation privée, elle, et n'aurait rien à dépenser. Elle essayait de se convaincre qu'Anton Ross avait voulu l'impressionner…

Dorinda poussa un petit cri et Jennifer sursauta.

— Serait-ce Ronald qui arrive à cette allure ? Il conduit bien trop vite ! Allez-y, ma chère !

Dorinda poussa légèrement Jennifer.

Surprise, Jennifer trébucha et partit en avant.

Quelqu'un la retint par la manche ; il y eut un crissement de pneus.

— Eh bien, elle l'a échappé belle ! lança quelqu'un d'autre.

Jennifer savait que s'il n'était intervenu la voiture l'aurait renversée.

Ronald sortit de la voiture.

— Vous vouliez vous suicider ? lança-t-il.

— Ne la gronde pas, c'est de ma faute ! dit Dorinda. Je t'ai vu arriver, je l'ai un peu poussée et elle a trébuché. Dieu merci, il n'y a pas de mal !

Ronald prit Jennifer par le bras et la conduisit jusqu'à la voiture.

— Je suis désolé de vous avoir parlé sur ce ton, Jennifer ! Mais, j'ai eu si peur !

— Moi aussi, j'ai eu peur ! murmura Jennifer.

— Sûrement, mais pas autant que tante Dorinda. Elle est tellement sensible ! Si vous aviez été blessée, elle se le serait reproché toute sa vie. En fait, je suis autant à blâmer qu'elle, je conduisais beaucoup trop vite, parce que je ne voulais pas que vous attrapiez froid alors que vous veniez de sortir d'une grippe. Et quand je suis allé à la voiture j'ai constaté que j'avais laissé les phares allumés...

Jennifer se souvenait d'avoir regardé en arrière : les phares étaient alors éteints. A moins que Ronald n'eût déplacé la voiture... N'avait-il pas rendu une nouvelle visite secrète à Elaine ?

Jennifer poussa un profond soupir : si tel était le cas, ce n'était plus son affaire.

Elle souhaita ardemment que le télégramme de Jane fût arrivé.

Anton, Charlotte et Bella attendaient sous le porche que Vic vînt les prendre avec la voiture. Il faisait sombre et Charlotte trébucha.

— Vous ne devriez pas rester là ! lui dit un homme. Une jeune femme a glissé et a failli se faire écraser il y a un moment. C'est que ça glisse !

— Vous dites qu'elle a failli se faire écraser ? demanda Anton.

— Oui. Le type conduisait très vite et quelqu'un a retenu la fille *in extremis*...

— Savez-vous qui c'était ?

L'homme secoua négativement la tête.

Une femme intervint :

— Je ne sais pas qui était la jeune femme, mais je sais que son compagnon était Ronald Mainwaring. C'est d'ailleurs lui qui a failli l'écraser.

Anton espérait de tout son cœur que Jennifer le contacterait.

Il avait failli à la règle en allant lui-même la trouver. Il craignait cependant qu'elle ne le fît pas...

CHAPITRE XI

— Comme cette petite réunion est agréable ! dit Dorinda.

Il était minuit et ils étaient installés dans le salon, contemplant le feu qu'Alex avait allumé. Cleone et Matthew Rank étaient là. Cleone paraissait heureuse.

— Je vais aller préparer un bon chocolat ! annonça Dorinda.

— Je vais le faire ! dit Jennifer en se levant.

— Mais, vous êtes encore toute secouée...

— Non, je ne le suis plus...

Jennifer voulait s'éloigner de la doucereuse Dorinda, du discret Alex, de la malicieuse Cleone et de son artiste-peintre, de Ronald enfin.

Elle se rendit donc à la cuisine.

Pourquoi le télégramme de Jane n'était-il pas encore arrivé ?

Elle prépara le chocolat et regagna le salon.

Cleone écoutait avec une expression de ravissement Matthew Rank parler de son enfance dans le Connecticut. Les autres ne l'écoutaient qu'avec une grande attention.

Ronald alla se coucher le premier, après avoir indiqué qu'il avait un rendez-vous de bonne heure.

Matthew Rank partit peu après.

— Regarde l'heure ! s'écria Dorinda. Allons, Alex, il faut que nous allions nous coucher !

Jennifer se leva.

— Oh ! je vous en prie, restez ! lui dit Cleone. J'aimerais que nous parlions...

Jennifer se rassit avec quelque réticence, car elle n'était pas d'humeur à discuter de choses bénignes. Mais si jamais le télégramme arrivait, elle serait là.

— Vous me détestez et je vous comprends, dit Cleone avec une trace de regret dans la voix. Et pourtant, il faut que je vous dise quelque chose qui va vous faire me détester encore plus.

Jennifer ne répondit pas.

— Je tiens d'abord à vous dire que, quoi que vous en pensiez, je ne vous déteste pas du tout, moi ! Dans d'autres circonstances nous aurions pu être de très bonnes amies.

— Cleone, la journée a été assez longue, est-ce que vous ne pourriez pas en venir au fait ?

— Tout ça n'est pas très agréable pour moi, mais il faut bien que quelqu'un vous prépare... Sachez donc que Ronald ne vous épousera pas ! Ronald ne s'est tourné vers vous que parce qu'il avait perdu quelqu'un... Mais il a retrouvé celle qu'il aimait, j'en suis sûre. Il n'a pas encore réalisé, mais...

— Je vois ! Mais vous, vous savez ce qu'il éprouve...

Cleone releva la tête.

— Oui ! J'ai toujours su ce qu'il pensait avant que lui-même en prenne conscience et j'ai toujours su ce qui était le mieux pour lui. Je suis certaine qu'en ce moment il est assis dans sa chambre, en train de se demander comment il pourra vous expliquer qu'il a commis une erreur en vous invitant à séjourner à *Meadowood*, vous avouer la vérité sans vous blesser. Pour Ronald, vous avez toujours été un pis-aller...

« Elle est vraiment insupportable ! » se dit Jennifer en fronçant les sourcils.

— C'est pourquoi je pense qu'il faudrait que vous partiez, Jennifer ! Je sais des choses que vous ne savez pas, des choses que Ronald lui-même ignore. Vous êtes en danger, Jennifer !

Vous êtes en danger...

Cleone se leva.

— Vous êtes en danger de vous retrouver le cœur brisé à cause d'un homme qui ne vous aime pas !

Jennifer s'était dressée.

— C'est vous qui m'avez écrit ces lettres, n'est-ce pas ?

Cleone parut abasourdie.

Jennifer partit en courant, monta l'escalier quatre à quatre et rentra dans sa chambre.

Elle se coucha et un instant après elle entendit la sonnerie du téléphone. Transmettait-on le télégramme de Jane ? Personne ne vint frapper à sa porte.

Elle resta longtemps réveillée, écoutant la pluie tomber et le vent souffler tout en réfléchissant. Elle savait maintenant que Cleone était à l'origine des difficultés qui avaient surgi.

« Elle s'est trahie ce soir ! Elle a essayé de m'effrayer par sympathie pour Elaine et parce qu'elle est persuadée qu'elle sait mieux que Ronald ce qui lui convient. Et elle a laissé accuser Minette... »

Alors qu'elle s'endormait, elle se souvint qu'Anton Ross lui avait demandé de lui téléphoner. Peut-être n'était-il qu'un charlatan essayant de racoler des clients ?

De toute façon, il était trop tard pour l'appeler.

Jennifer fut réveillée à 8 heures par Dorinda.

— Comment allez-vous ? lui demanda celle-ci, l'air soucieux. Vous ne vous ressentez pas trop de ce qui est arrivé hier soir ?

— J'avais déjà oublié !

— Si vous aviez été blessée, je ne me le serais jamais pardonné !

— Je ne l'ai pas été...

Dorinda sortit.

Jennifer s'étira puis se leva. Elle avait cru que Dorinda était venue lui apporter le télégramme.

« Je quitterai bientôt cet endroit pour Merced ! » se dit-elle.

Ses sentiments envers les uns et les autres étaient différents depuis l'intervention de Cleone.

« Ils se sont comportés correctement, étant donné les circonstances ! » pensa-t-elle en évitant de regarder dans la direction du portrait.

Il eût même été injuste de reprocher à Ronald la façon dont s'était déroulé son séjour. Elle était aussi responsable que lui de l'anéantissement de son rêve. Elle l'avait admiré, mais elle aurait dû savoir que l'admiration était une chose et que l'amour en était une autre.

Elle songea à sa propre famille : la maison de Merced devait être pleine de cousins et de cousines.

Le télégramme de Jane n'arriverait-il donc jamais ?

Elle passa la matinée dans la bibliothèque. Elle avait laissé la porte entrouverte pour pouvoir être d'un bond dans l'entrée quand le télégraphiste serait là.

Au déjeuner, Alex lui proposa de venir visiter la boutique dans l'après-midi, mais elle refusa poliment, prétextant la fatigue.

Elle passa l'après-midi aussi dans la bibliothèque, attendant patiemment.

Mais lorsque vint le crépuscule elle perdit tout espoir.

Que s'était-il passé ? Pourquoi n'avait-elle pas reçu le télégramme ?

La nuit était tombée quand Brendon arriva pour examiner Ada qui était toujours confinée dans sa chambre. Jennifer lui ouvrit et il parut désappointé de la trouver là.

— Je croyais que vous seriez partie, dit-il alors qu'elle l'aidait à ôter son manteau.

Jennifer avait le sentiment qu'elle pouvait faire confiance à cet homme-là.

— J'espérais que...

Elle se tut car Dorinda arrivait.

Brendon partit en la compagnie de celle-ci, qui se mit à évoquer « l'accident » de la veille.

Ellie Tate arriva, s'essuyant les mains sur son tablier.

— Je n'ai pas pu venir ouvrir, dit-elle. Je surveillais une sauce et elle aurait tourné si je l'avais laissée sans surveillance.

— C'était le docteur Meade. Il est allé voir madame Mainwaring.

— J'aurais aimé le voir pour lui parler de mon aînée, de celle qui s'occupe de ses frères et sœurs quand je travaille. Melody ne se sentait pas très bien hier et ça allait encore moins bien aujourd'hui. J'ai horreur de la laisser comme ça ! Et voilà qu'ils veulent que je reste au chevet de madame Mainwaring cette nuit encore. J'espérais que le docteur aurait pu me dire ce qu'il fallait que je donne à Melody ! Si c'est la grippe, tous les autres vont l'attraper... Croyez-moi, mademoiselle, c'est très dur d'élever quatre enfants quand on est seul...

Jennifer allait proposer à Ellie de prendre sa place, mais elle se souvint qu'elle avait décidé de partir dès que possible.

Le télégramme arriverait, il le fallait !

Elle alla au salon et Alex l'y rejoignit. Il parla de sa boutique jusqu'à l'arrivée des autres.

— Vous allez dîner avec nous ? dit Dorinda au médecin.

— Puisque vous me le proposez..., répondit Brendon Meade.

Jennifer annonça qu'elle allait se changer pour le dîner et sortit.

Elle se rendit à la bibliothèque et chercha en toute hâte le numéro de téléphone de la compagnie distributrice des télégrammes.

Elle était en train de composer ce numéro quand elle entendit du bruit. Quelqu'un s'arrêta devant la porte...

Dans un murmure, elle demanda à l'employé qui avait décroché s'il n'y avait pas un télégramme pour elle.

« — Un instant, je vais voir ! » répondit-il.

Alors qu'elle attendait, elle entendit l'inconnu s'éloigner et un instant plus tard il y eut un déclic dans le combiné.

Elle posa celui-ci, alla ouvrir la porte et jeta un coup d'œil dans le vestibule. Il n'y avait personne !

Elle referma la porte et retourna au combiné.

« — Allô ? Il y a eu un message pour vous, mademoiselle, qui a été transmis par téléphone. »

« — Savez-vous qui a reçu le message ? »

« — Non, mais je peux vous le lire... »

« — Merci, c'est inutile ! »

Jennifer monta à sa chambre.

Qui avait intercepté le message ?

Une pensée lui vint : quelqu'un l'avait écoutée ! Ce déclic qu'elle avait entendu... Il se trouvait au moins une personne à *Meadowood* qui savait qu'elle avait demandé qu'on lui envoyât ce télégramme !

En entrant dans sa chambre elle regarda instinctivement en direction du portrait mais détourna immédiatement le regard.

Elle se passa la main sur le front. Quelqu'un voulait qu'elle restât à *Meadowood*. Autrement, pourquoi ne lui aurait-on pas communiqué le message de
Jane ? Mais qui ?

Une chose était sûre, c'est que le lendemain elle
quitterait *Meadowood*. Personne ne pourrait l'en
empêcher ! Elle ferait ses valises, emprunterait un taxi
jusqu'à la gare routière puis le bus !

Elle s'habilla pour le dîner avec un soin inhabituel.
Ce serait son dernier repas à *Meadowood*. Elle s'en
irait tôt le matin, avant le réveil de la maisonnée.

Elle était dans l'escalier quand elle vit Ronald, qui
semblait l'attendre.

— Suivez-moi à la bibliothèque, Jennifer ! lui dit-
il. Je voudrais vous parler.

A peine eut-il fermé la porte qu'il la prit par la
main et la regarda fixement avec un air tourmenté.

— Jennifer, pourquoi avez-vous fait ça ? dit-il
doucement. Pourquoi avez-vous demandé à votre
sœur de vous envoyer ce télégramme ?

Jennifer était bien décidée à ne pas se laisser
impressionner.

— Ainsi vous êtes au courant ! C'est donc vous
qui avez reçu le message et qui venez d'écouter ma
conversation téléphonique !

Ronald continuait de la regarder.

— Pourquoi ne m'avez-vous pas transmis le message, Ronald ?

— C'est Cleone qui l'a reçu... J'ai entendu le téléphone sonner et je suis allé décrocher à l'étage. Votre mère était malade et elle vous demandait... Je ne voulais pas vous réveiller au milieu de la nuit sans savoir si votre mère était gravement malade ou non et j'ai appelé votre sœur. Surprise, elle s'est empêtrée... J'ai alors compris.

— Je vois ! fit simplement Jennifer, le cœur serré.

— Jennifer, pourquoi ne m'avez-vous pas tout simplement dit que vous vouliez partir ? demanda Ronald sur un ton de reproche.

— Parce que vous m'auriez demandé pourquoi.

— Je vous le demande à présent : pourquoi ?

Elle dégagea ses mains et s'approcha de la fenêtre pour mettre une certaine distance entre eux.

— J'ai fait envoyer ce télégramme parce que je ne me sentais ni bien accueillie ni en sécurité ici. Et maintenant que vous et Elaine vous rencontrez...

— Ainsi Cleone vous a parlé ! Pourquoi l'avez-vous écoutée ? C'est de ma faute si vous n'êtes pas heureuse ici, j'aurais dû vous consacrer plus de temps... Me pardonnez-vous ?

Jennifer sentit sa détermination faiblir. Elle fit même à Ronald un sourire hésitant.

— Jennifer, allons dîner en ville tous les deux !

— Mais, et les autres ?

— Oubliez les autres, c'est pour vous que je me tracasse !

Ronald fit à Jennifer un sourire chaleureux, ce même sourire qui l'avait séduite lors de leur première rencontre.

— Allez, venez, Jennifer !

— D'accord, Ronald, mais à une condition : n'essayez pas de me dissuader de partir demain !

Jennifer n'avait hésité qu'un instant...

— Allez chercher votre manteau, Jennifer.

Elle monta précipitamment. Elle passa devant la chambre d'Ada. La porte était entrebâillée.

— Cette fille... Elle est encore là ?

Il n'y avait aucun doute pour Jennifer : c'était d'elle que parlait la père de Ronald... Elle fut tentée d'entrer et de la rassurer en lui annonçant qu'elle partirait le lendemain.

Elle redescendit bientôt.

— Mais, pourquoi ne dînez-vous pas ici ? demanda Dorinda quand Ronald lui eut annoncé leur défection.

Ils étaient dans le salon et Ellie servait l'apéritif, l'air absent.

Alex intervint :

— Allons, Dorinda, il est tout à fait normal que Jennifer et Ronald veuillent être seuls de temps en temps !

— Tu as raison, mais ce soir madame Cuddy a fait sa fameuse côte de bœuf...

Brendon jeta un regard interrogateur sur Jennifer et celle-ci se demanda pour la première fois s'il n'avait pas des raisons personnelles pour entretenir la méfiance qui régnait entre Ronald et elle.

Tout était si confus. Peut-être qu'après ce tête-à-tête elle y verrait un peu plus clair !

Ronald emmena Jennifer dans un restaurant italien. L'atmosphère fut tendue un moment. « C'est parce que nous évitons de parler des choses sérieuses ! » pensa Jennifer.

— Comment allait Elaine la dernière fois que vous l'avez vue, Ronald ?

— Elle semblait aller beaucoup mieux...

— La dernière fois, c'était hier soir, n'est-ce pas ?

— Hier soir nous étions à cette conférence, Jennifer...

— Mais vous êtes sorti, non ? Et vous êtes allé la voir ?

— Oui, Jennifer...

— Vous tenez encore à elle ?

— Jennifer, je ne sais vraiment pas quoi vous dire...

Ronald s'essuya le front de la main.

Jennifer fut attendrie en le voyant si malheureux.

Elle ne l'aimait pas, certes, mais elle avait de l'estime pour lui.

— Pourquoi ne me dites-vous pas tout simplement la vérité, Ronald ?

Elle lui sourit pour l'encourager.

— Je n'ai jamais eu l'intention de vous tromper, Jennifer. Quand je vous ai rencontrée, je ne savais plus où j'en étais... Vous m'avez aidé dans le moment le plus difficile de ma vie et la dernière chose que je désire est de vous blesser. Vous me croyez ?

— Je vous crois, Ronald ! Vous souhaitiez vous éprendre de moi, mais votre cœur appartenait toujours à Elaine. C'est bien cela, n'est-ce pas ?

— Je crois que je n'ai jamais cessé de l'aimer, Jennifer. Mais, croyez-moi, quand je vous ai invitée à

venir à *Meadowood*, je ne pensais absolument pas que
tout pourrait recommencer. Si j'avais seulement
espéré...

— Vous ne m'auriez même pas regardée !

— Je l'avoue, Jennifer. Je suis désolé...

— Ne le soyez pas, Ronald ! On ne peut comman-
der à son cœur... Mais, étant donné les circonstances,
j'aurais cru que vous vous seriez empressé de me communiquer le message de ma sœur. Ainsi vous vous
seriez débarrassé de moi !

— Là, vous vous trompez ! Je tiens à vous et je
vous serai toujours reconnaissant d'avoir été aussi
gentille avec moi à un moment où j'en avais tellement
besoin. Je ne pouvais pas vous laisser partir sans
essayer de vous expliquer..., de m'excuser...

— Laissons cela, Ronald ! Il y a une chose que
j'aimerais savoir : est-ce qu'Elaine vous aime ?

— Elle m'a dit qu'elle n'avait jamais cessé de
m'aimer, dit-il avec un sourire enfantin, un sourire de
soulagement.

— Pourquoi avez-vous rompu ?

— Parce que quelqu'un lui avait menti, en lui
disant que je... sortais avec Minette...

— Qui a bien pu lui dire cela ?

— Elaine ne veut pas me le dire, mais je le saurai !
Je soupçonne Cuddy... Mais, pourquoi aurait-il fait
cela ?

— Une certaine inimitié régnait entre lui et
Minette, c'est Minette elle-même qui me l'a dit.

— Je le savais. Mais, pourquoi Cuddy aurait-il

voulu nous séparer, Elaine et moi ? Pourquoi aurait-il
inventé cette histoire ?

— Peut-être que quelqu'un lui a démontré que
cela en valait la peine.

— Ça n'a pas de sens ! Tout le monde aimait
Elaine !

— Tout cela ne serait pas arrivé si tel était le cas !

— Peut-être que Minette a menti à Cuddy ?

— Oh ! Ronald !

Ronald regarda Jennifer avec une expression de
surprise.

— Cessez de mettre en cause Minette à tout pro-
pos ! Brendon m'a dit que c'était une brave fille très
honnête et je suis persuadée qu'elle n'a rien à voir à
tout cela. Je crois même que vous lui devez des
excuses et que vous pourriez lui offrir de revenir travailler à *Meadowood*. Si elle refuse, ce qui serait parfaitement compréhensible, vous pourrez au moins lui
donner des références ! Non, Ronald, vous devez
chercher ailleurs votre fauteur de troubles…

— Mais, si nous écartons ces deux-là…

— Si vous voulez être heureux avec Elaine, il faut
que vous sachiez de qui il s'agit ! Ne nous attardons
pas, j'ai un long voyage à faire demain.

— Faut-il vraiment que vous partiez si vite ?

— Si je pouvais m'en aller tout de suite…

Ils furent silencieux pendant tout le trajet du
retour.

Quand ils furent près de *Meadowood*, Jennifer fut
prise de peur à la perspective de passer là cette nuit.
Mais il n'y avait pas d'autre solution.

Dorinda était dans l'escalier quand Ronald et Jennifer entrèrent.

Elle portait une douillette, avait un filet sur les cheveux et le visage luisant de crème.

— Déjà rentrés ? (Elle sourit largement.) Alex a affirmé que j'avais besoin d'une bonne nuit de sommeil ; je suis montée me coucher il y a un peu plus d'une heure, mais je n'ai pas pu m'endormir. Je vais faire un bon chocolat chaud. Est-ce que vous en voulez ?

Une dame d'un certain âge proposant du chocolat, sa spécialité, à cette heure... Jennifer eut la chair de poule.

— Je ne pourrais rien avaler de plus ! dit-elle.

— Pourquoi vous promenez-vous avec une bougie ? demanda Ronald à sa tante, en souriant.

— Il vient d'y avoir une coupure de courant, qui a duré quelques minutes ; généralement il y en a une seconde, qui dure plus longtemps...

Dorinda alla à la cuisine.

Ronald dit au revoir à Jennifer au bas de l'escalier. Il voulait lire un moment dans la bibliothèque.

Quand Jennifer entra dans la chambre, son regard fut irrésistiblement attiré par le portrait.

Alors qu'elle se déshabillait, la lampe de chevet s'éteignit, se ralluma.

Avant de se glisser entre les draps glacés, elle appuya sur l'interrupteur.

La vieille maison craquait de toute part. Un volet claquait.

Jennifer entendit un bruit de pas. Ensommeillée,

elle supposa que quelqu'un était allé fixer le volet oublié.

« Maman et Jane vont se demander ce qui se passe ! » se dit-elle en se rappelant un peu tard qu'elle ne leur avait pas téléphoné.

Elle s'endormit.

À Merced, Jane se penchait au-dessus de sa mère, remplie d'inquiétude.

— Mam, réveille-toi ! Tu as fait un mauvais rêve.

— Quoi ? dit Mme West en ouvrant péniblement les yeux.

— Tu faisais un cauchemar ! Tu appelais Jennifer...

— Jennifer ? (Madame West se dressa brusquement.) Jane, Jennifer court un grand danger !

— Oh ! elle s'est probablement disputée avec Ronald et c'est pour ça qu'elle a téléphoné.

— Elle est en danger, Jane !

— Mam, ce n'était qu'un rêve !

— Un rêve ? Mais cela m'a semblé tellement réel !

Madame West se mit à pleurer tout doucement. Jane la regarda, de plus en plus inquiète.

— Veux-tu que je t'apporte quelque chose, Mam ?

— Non, Jane. Je me comporte comme une gamine ! Retourne te coucher, ma chérie, ça va aller.

Le réveil indiquait qu'il était 2 heures.

On frappait légèrement à la porte. Jennifer se
réveilla en sursaut. Le vent soufflait violemment et la
grêle frappait contre les carreaux.

— Qui est-ce ?

— Ada !

Jennifer se leva, mit sa robe de chambre et enfila
ses pantoufles.

Ada était là, tel un spectre.

Elle mit le doigt sur les lèvres, faisant comprendre
à Jennifer qu'il ne fallait pas parler fort.

— Il est très tard, murmura-t-elle. Je ne veux pas
déranger les autres, mais j'ai entendu une sirène.
Cleone n'est pas là, alors qu'elle m'avait promis de
rentrer avant minuit. Je suis inquiète ; elle a peut-être
eu un accident.

Un courant d'air froid souleva les rideaux et Ada
frissonna.

— Vous auriez dû rester couchée ! dit Jennifer.
Où est donc madame Tate ?

— Elle s'inquiétait tant pour sa fille que je lui ai
permis de rentrer chez elle. Vous ne pourriez pas descendre et essayer de réveiller Cuddy ? Il saura ce qu'il
faut faire, qui il faut appeler...

— J'y vais !

Ada regagna sa chambre sur la pointe des pieds.

Jennifer commença à descendre l'escalier. Alors
qu'elle posait le pied sur la première marche, la
lumière de l'escalier tremblota puis s'éteignit. Elle mit
la main sur la rampe pour se guider.

Elle entendit alors une voix derrière elle...

— Jennifer ?

Elle se retourna et distingua une forme humaine en haut de l'escalier.

— Jennifer ?

Elle eut la chair de poule et sentit ses cheveux se dresser sur sa tête au son de cette voix.

— Qui est là ?

Une main se posa sur son bras, elle essaya de se dégager mais l'étreinte de l'inconnu se resserra.

Etait-ce un homme ? était-ce une femme ?

— Qui êtes-vous ?

— Attention aux marches !

Sentant qu'elle allait défaillir, Jennifer ouvrit la bouche et poussa un cri...

CHAPITRE XII

Quand Jennifer revint à elle, elle était allongée sur le lit de la chambre bleue et Cleone, pieds nus et en pyjama, était penchée au-dessus d'elle. Alex, Dorinda, Ronald et Michael étaient là aussi.

— Jennifer, vous m'entendez ? dit Cleone.

— La pauvre petite ! murmura Dorinda.

— Ça va, Jennifer ? demanda Cleone en lui caressant doucement le front.

La porte s'ouvrit et Ada entra.

— Que se passe-t-il ? lança-t-elle. C'est encore cette fille ?

— Ada, tu devrais être au lit ! dit Dorinda sévèrement. Tu vas attraper froid. Où est Ellie ?

— Chez elle, à s'occuper de sa fille... Je l'ai autorisée à rentrer.

— Tu n'aurais pas dû ! J'avais donné des ordres pour qu'elle ne te laisse pas seule ! Et maintenant, retourne te coucher, s'il te plaît ! Cleone, tu ne voudrais pas aller avec elle ?

Mais Ada refusa de bouger.

— Je veux savoir ce qui se passe ! Je dormais quand...

Elle s'approcha du lit et regarda Jennifer d'un air malveillant.

— Jennifer a eu une crise de somnambulisme, expliqua Dorinda. Fort heureusement, Alex est arrivé juste au moment où elle commençait à descendre l'escalier.

Cette voix ! Jennifer s'assit : n'était-ce pas Alex qui l'avait poussée dans l'escalier ?

— Il a dû la réveiller trop brusquement, continua Dorinda. Elle a été effrayée et s'est évanouie... On m'a assuré qu'il était très dangereux de réveiller les somnambules.

Dorinda regarda son mari avec un air de reproche. Jennifer le regarda aussi et examina son visage franc et candide comme si elle ne l'avait jamais vu.

— Je ne suis pas somnambule ! s'écria-t-elle. J'allais demander à Cuddy ce qu'on devait faire parce que Cleone n'était pas rentrée ! Elle a entendu une sirène...

— Ma chère petite, le somnambulisme est un phé...

— J'étais tout aussi éveillée que vous l'êtes en ce moment !

— Mais, Cleone a passé la soirée ici, ma chère !

— Peut-être, mais madame Mainwaring ne le savait pas ! C'est elle qui m'a demandé d'aller chercher Cuddy !

— Ce n'était qu'un rêve !

— Ce n'était pas un rêve ! J'ai commencé à descendre l'escalier et il — Jennifer tendait un doigt accusateur vers Alex — est venu me pousser...

— Cela vous est-il déjà arrivé ?

Dorinda ne désarmait pas...

— Pourquoi vous êtes-vous ainsi faufilé derrière moi, monsieur Latham ?

— Je...

Dorinda entoura Ada de ses bras.

— Ada ! Tu trembles comme une feuille, tu vas attraper froid. Viens te coucher !

Dorinda entraîna Ada.

Elles étaient à la porte quand celle-ci se dégagea.

Elle revint auprès de Jennifer et la fixa de ses yeux vitreux en agitant l'index sous son nez.

— Allez-vous enfin partir ? cria-t-elle. Fichez le camp et laissez mon fils tranquille ! Sinon, je...

Michael se précipita et, aidé par Dorinda, l'entraîna hors de la pièce.

Ceux qui restaient paraissaient extrêmement embarrassés.

— Ce doit être la fièvre, dit Cleone sans aucune conviction. Je ferais peut-être bien d'appeler le docteur Meade.

— Un instant ! (Alex lui barra le passage.) Je voudrais d'abord examiner l'escalier. Ronald, viens avec moi !

Ils sortirent et revinrent cinq minutes plus tard.

Ronald était livide

— Dieu merci, oncle Alex était là pour vous empêcher de descendre ! dit-il à Jennifer.

Elle le dévisagea avec stupéfaction.

Alex, debout à côté de Ronald, toussa nerveuse-
ment.

— Je vais vous expliquer, dit-il. J'ai fait un très
mauvais rêve cette nuit : une femme tombait dans
l'escalier de *Meadowood* ; elle avait trébuché contre
une ficelle tendue en travers de son chemin. J'ai été si
impressionné par ce rêve que j'ai décidé d'aller voir.
Vous étiez là, petite, et vous descendiez comme l'autre
était descendue, dans mon rêve. (Il sourit à Jennifer,
de son sourire chaleureux.) Je vous ai fait peur, Jennifer, mais il fallait que je vous arrête. Je n'avais pas le
temps de vous expliquer et je n'étais pas sûr qu'il y
avait une ficelle tendue...

— Mais il y avait bien une ficelle !

Ronald regardait sa sœur.

— Maman n'a pu faire ça ! s'écria Cleone. Elle est
malade, elle a la grippe et...

Alex secoua la tête.

— Elle est malade, oui, mais ce n'est pas la
grippe...

— C'est ses poumons ! cria Cleone.

— Ses poumons sont en parfait état. Ta mère
souffre d'une maladie mentale. Elle a déjà eu deux
crises de ce genre après votre naissance et chaque fois
elle s'est bien rétablie, mais elle n'est jamais redeve-
nue tout à fait normale. Aussi longtemps que Dorinda
était à ses côtés pour agir comme tampon entre elle et
la réalité, elle a pu s'en sortir.

Un silence total régna dans la pièce pendant un
moment.

Alex reprit son récit...

— Il y a six mois, elle a eu une rechute due à la tension causée par la crise cardiaque de votre père ; elle a commencé à avoir une peur obsessionnelle du changement ; elle se sentait menacée par n'importe quel changement, craignant par-dessus tout que Ronald ne se marie et qu'il aille vivre ailleurs. Elle perdait parfois tout contrôle sur elle-même et dans un accès de colère elle a même renversé de l'eau bouillante sur madame Cuddy ! Elle devenait dangereuse et on ne pouvait pas la laisser seule un instant.

Jennifer essayait de ne pas regarder Ronald et Cleone. « Comme cela doit être terrible pour eux ! » se dit-elle. Elle aurait aimé ne pas être là en ce moment de révélation.

Elle porta le regard sur le portrait qui l'avait si souvent mise mal à l'aise. Et elle comprit que le peintre avait projeté là sa propre maladie, ce qui expliquait que la grand-mère eût l'air misérable.

— Pourquoi ne nous a-t-on rien dit ? s'écria Ronald. Nous avions tout de même le droit de savoir !

— Votre mère nous avait fait promettre, à votre père, à Dorinda et à moi de ne jamais rien vous dire ! Elle... elle a menacé de se tuer si on vous le disait.

Cleone poussa un petit cri plaintif, et Alex continua :

— Et votre mère a pu mener une vie normale pendant longtemps, grâce à la protection que nous établissions autour d'elle.

— D'autres personnes devaient savoir ? dit Ronald.

— Les Cuddy, bien sûr, et les Monroe...

— Et les médecins qui la soignaient, souligna Cleone.

— Bien entendu ! Le docteur Meade a été le premier à remarquer qu'elle montrait des signes d'aggravation, mais il a espéré, tout comme nous, qu'il ne serait pas nécessaire de la remettre en maison de santé. Mais la situation a empiré et il a insisté pour qu'on la place dans un établissement spécialisé, pour sa propre sécurité comme pour la nôtre. En fait, il était le seul à penser qu'elle pourrait devenir violente.

Petit à petit, les morceaux du puzzle s'assemblaient.

— Maman est un... un cas désespéré ? demanda Cleone.

Elle avait repris des couleurs, respirait plus facilement. Jennifer pensa que le plus dur était passé pour elle.

— Non, ce n'est pas un cas désespéré ! La psychiatrie a fait d'immenses progrès... Mais, il sera nécessaire de la faire hospitaliser ! Brendon Meade insistait pour cela depuis quelque temps déjà, mais il voulait absolument qu'elle passe les fêtes de Noël avec nous. Elle pensait — et je le pensais aussi, je l'avoue — que Brendon Meade exagérait la gravité de l'état d'Ada.

— Je vais l'appeler tout de suite, dit Cleone sur un ton de résignation.

— Ce n'est pas nécessaire, Cleone : Dorinda va lui faire une piqûre pour qu'elle dorme tranquillement. Nous appellerons le médecin demain matin. En attendant, nous devrions aller nous recoucher et essayer de dormir un peu.

Il était 2 h 30, mais Jennifer décida d'appeler sa

mère à Merced. Ce fut celle-ci qui répondit, à la seconde sonnerie...

« — Jennifer, tu vas bien ? » cria-t-elle.

« — Je vais très bien, maman ! J'arrive demain ! »

Ce matin-là, Michael Mainwaring était pareil à lui-même, mais Cleone et Ronald étaient abattus. Il était évident que ceux-là n'avaient pu se rendormir...

La vie à *Meadowood* continuait donc. Peut-être serait-ce un bien qu'il n'y eût plus de secret concernant Ada Mainwaring !

Ni Dorinda ni Alex n'étaient descendus et Ellie Tate n'était pas là non plus.

Quand il eut fini de déjeuner, Michael se leva.

— Ronald et Cleone, je voudrais vous parler. Rejoignez-moi à la bibliothèque dès que vous aurez terminé.

Ronald se leva immédiatement.

Quand Cleone et Jennifer furent seules, la première demanda à la seconde :

— Vous partez ce matin ?

— Oui.

— Même si cela ne sert à rien, Jennifer, je dois vous dire que mon comportement était dicté par le bon sens !... Ce que j'ai fait, je l'ai fait pour votre bien autant que pour celui de Ronald et d'Elaine. Vous n'auriez pas été heureuse en étant l'épouse d'un homme qui aurait aimé une autre femme que vous !

Jennifer acquiesça sans rien dire.

— Vous... Vous ne croyez plus que c'est moi qui vous ai envoyé ces lettres ?

— Je sais que ce n'est pas vous, Cleone !

— Comment pouvez-vous en être sûre ?

— J'y ai bien réfléchi ! Vous n'êtes pas du genre fourbe... Ce que vous avez à dire, vous le dites en face !

— Il est vrai que j'ai toujours pensé qu'il valait mieux dire à voix haute ce que l'on pensait ! Ce n'est pas toujours facile... (Cleone se leva.) Je dois y aller !

Cleone s'approcha de Jennifer et se pencha pour l'embrasser.

Puis elle partit.

Dorinda fit son entrée quelques minutes plus tard, secouant ses bracelets tintinnabulants. Elle posa son plateau bien garni juste à côté de celui de Jennifer et s'assit.

— Que pourrais-je vous dire, ma chère petite ? Je suis toute remuée par ce qui s'est passé cette nuit... Je n'aurais jamais cru que notre pauvre Ada ferait une telle chose, et j'étais persuadée qu'Ellie Tate était avec elle. Me pardonnerez-vous jamais ?

— Il n'y a rien à pardonner, puisque personne n'est coupable !

— Comme vous êtes gentille ! Je vous aime vraiment beaucoup, ma chère... Nous vous aimons tous beaucoup, mais vous allez nous quitter...

— Je pars aujourd'hui...

— Ainsi c'est Elaine qui... Quelqu'un avait dit à Elaine que Minette était l'amie de Ronald et elle l'a cru !

— Ce quelqu'un, c'est Cuddy !

— C'est lui, en effet, mais je crois que c'est encore cette pauvre Ada qui était derrière. Elle a dû demander à Cuddy de répéter cela à Elaine. Et Cuddy ferait n'importe quoi pour ma pauvre sœur ! Il a déjà reconnu que c'était lui qui avait acheté la... ficelle qui a été tendue en travers de l'escalier. Mais il ne savait pas ce qu'Ada voulait en faire, bien sûr...

— Vous allez le garder, alors qu'il a joué ce rôle ? Sans lui, Ronald et Elaine...

— Bah ! il est plus à plaindre qu'à blâmer, en définitive ! Et comme Ada ne sera plus là... J'ai voulu qu'elle passe les fêtes de Noël avec nous, mais cela ne sera pas possible ! Avec un bon traitement, elle redeviendra sans doute comme avant...

Dorinda semblait extrêmement soulagée de ne plus être porteuse du terrible secret.

Jennifer rencontra Michael Mainwaring dans le vestibule.

— Quelle lamentable histoire ! dit-il. Heureusement que vous n'avez pas été blessée, ma chère petite ! Vous savez, il nous a été bien difficile de cacher la maladie de leur mère à Ronald et à Cleone !

— Je m'en doute !

— Un véritable calvaire pour Dorinda, Alex et moi ! Tout va aller mieux maintenant... Une infirmière spécialisée est auprès d'Ada et elle restera là jusqu'à ce qu'elle parte...

— Le docteur Meade est donc au courant de ce qui s'est passé cette nuit ?

— Oui, la piqûre n'avait pas calmé Ada et nous

avons dû l'appeler à 4 heures du matin ! C'est lui qui
a fait venir l'infirmière, une femme qui paraît très
capable...

Ainsi Brendon Meade était venu et il était reparti.
Jennifer fut désappointée, elle aurait voulu lui dire au
revoir. Elle fut soudain frappée de constater qu'il
allait énormément lui manquer.

— Au fait, Ronald est dans la bibliothèque, dit
Michael en lui souriant. Il m'a chargé de vous dire
qu'il voudrait vous voir...

Jennifer entra si doucement dans la bibliothèque
que Ronald, qui était au téléphone, ne l'entendit pas.

« — Je viendrai cet après-midi et je te ramènerai
chez toi ! A tout à l'heure, ma chérie ! »

Il raccrocha et se retourna.

Il eut alors l'air penaud.

— Elaine quitte l'hôpital cet après-midi ?
demanda Jennifer.

— Oui. J'espère que vous accepterez que je vous
conduise jusqu'à l'aéroport ?

— Je préfère prendre le bus, Ronald...

— Alors je vous conduirai jusqu'au terminal.

— J'ai déjà appelé un taxi et j'ai encore mes bagages à faire.

— Restez au moins un instant ! (Ronald désigna
un fauteuil et Jennifer s'y assit.) Qu'allez-vous raconter à votre mère et à votre sœur à notre sujet ?

— Que cela n'a pas « marché » entre nous.

— Je ne vous oublierai jamais, Jennifer. Je voudrais tant pouvoir faire quelque chose pour vous...

— Vous pourriez demander à Elaine de venir
acheter sa robe de mariée au *Nylander's* !

Elle avait voulu le faire sourire et il sourit.

— Vous êtes vraiment une chic fille, Jennifer !

« Si je l'avais aimé, je n'aurais pas été aussi bonne
joueuse ! » se dit Jennifer.

— Il y a une autre chose que vous pouvez faire
pour moi, Ronald, c'est d'aller voir Minette et de lui
proposer de reprendre sa place à *Meadowood*.

— Vous me surprendrez toujours ! Après ce que
vous venez de vivre, comment pouvez-vous vous sou-
cier du sort de quelqu'un d'autre ?

— Si je n'étais pas venue à *Meadowood,* Minette
travaillerait encore pour vous, Ronald. Je me sens
donc coupable... Ferez-vous ce que je vous demande ?

— Je voulais lui téléphoner ce matin, pour
m'excuser et pour tout lui expliquer.

— Alors nous n'avons plus rien à nous dire ! Non,
j'ai encore quelque chose à vous dire, Ronald : je vous
souhaite beaucoup de bonheur, à vous et à Elaine.

Elle lui tendit la main, il la prit et la serra doucement.

L'instant d'après il était parti.

A Santa Barbara, Anton et Charlotte Ross
s'apprêtaient à quitter leur hôtel. Ils étaient arrivés à
3 heures du matin, s'étaient couchés et s'étaient
endormis immédiatement, épuisés par le long voyage
qu'ils venaient de faire. Ils voulaient déjeuner dans un
restaurant que leur avait recommandé Bella Miller,

faire une promenade sur la plage puis se rendre jusqu'à San Diego où ils passeraient la nuit avant de continuer vers Mexico.

En faisant sa valise, Anton sifflota un air gai.

— Tu es bien joyeux ce matin ! fit remarquer Charlotte.

— Je suis joyeux parce que soulagé, dit-il. Tout va très bien aller pour elle maintenant.

— De qui parles-tu ?

— De l'invitée des Mainwaring ! Je m'inquiétais beaucoup pour elle... J'avais même enfreint une de mes règles en lui demandant de me téléphoner, mais elle ne l'a pas fait.

— Mon Dieu ! soupira Charlotte.

— Ça n'a plus d'importance ! Elle est en sécurité maintenant, je le sens !

Charlotte sourit à son mari.

— Tu es content de toi ? dit Mary Cuddy à son mari qui regardait fixement ses chaussures.

— Comment pouvais-je deviner ce qu'elle voulait faire ? Elle m'a donné ces enveloppes pour que je les laisse dans la chambre de cette fille et j'ai obéi ! De même quand elle m'a demandé d'acheter ces trucs pour elle !

Mary Cuddy passa la main sur son bandage. « Plus que trois mois ! » se dit-elle. Encore trois mois et ils auraient économisé assez d'argent pour acheter cette belle petite caravane...

— Tu ferais bien d'aller te raser, Cuddy ! lança-t-elle à son mari.

EPILOGUE

Jennifer était assise dans la bibliothèque, près de la fenêtre qui donnait sur le jardin dénudé. « C'est fini ! » se dit-elle et elle fut envahie par la tristesse. Elle éprouvait un sentiment de perte irrémédiable et ne savait pourquoi. Dans moins de deux heures, elle serait en route pour Merced. Mais, le souvenir de son séjour à *Meadowood* s'effacerait-il jamais de sa mémoire ?

De quoi s'agissait-il ? se demanda-t-elle. La vie n'était-elle faite que d'événements survenant par pur hasard ? Elle savait qu'elle n'aimait pas Ronald. Mais alors, pourquoi était-elle si triste ? Comme si en partant elle devait perdre quelque chose d'extrêmement précieux ?

On frappa doucement.

Alex entra et s'assit au même endroit que Ronald un peu plus tôt.

Jennifer le regarda : comment avait-elle pu soupçonner cet homme si gentil et si doux ?

Ses yeux se remplirent de larmes. Elle les refoula à grand-peine.

— Je... déteste les adieux ! dit-elle en guise d'explication.

— La vie est faite de salutations — de bonjours et d'adieux...

— Des salutations formelles...

— Pas du tout ! Il y a toujours une raison pour que les choses arrivent, ma petite !

— Quelle était la raison de ma venue ici, sauriez-vous me le dire ? Et d'abord, quelle était la raison de ma rencontre avec Ronald ?

— Ne pensez-vous pas que c'est le Destin qui vous a envoyée ?

— Pour réconcilier Elaine et Ronald ?

— Pour cela, mais aussi pour que Ronald et Cleone sachent enfin la vérité sur leur mère.

— Peut-être, dit Jennifer sans grande conviction. Mais, pourquoi moi ?

— Ça, nous ne le saurons peut-être jamais. Mais il y a sûrement une raison à cela aussi...

Ils entendirent des bruits, qui venaient de l'étage.

— Ada s'en va ! dit Alex. Dorinda et Michael vont l'accompagner jusqu'à l'établissement.

Jennifer entendit la petite procession commencer à descendre l'escalier. Tout cela était bien triste.

— Si vous voulez bien m'excuser...

Alex se leva.

— Monsieur Latham, si nous ne nous revoyons pas...

— Nous nous reverrons sûrement !

Jennifer alla à « sa chambre » quelques minutes plus tard.

Elle était en train de mettre quelques affaires dans un sac de voyage quand on frappa quelques coups timides à la porte.

Elle alla ouvrir : Cuddy se tenait là.

Elle remarqua que ses joues, habituellement colorées, étaient toutes pâles, et qu'il évitait de la regarder en face.

— Le médecin est en bas, mademoiselle, et il désirerait vous voir.

Son cœur battit la chamade : Brendon était là, elle allait pouvoir le revoir avant de partir !

— Dites au docteur Meade que je serai là dans un moment, Cuddy !

Comme il était aimable à lui d'être revenu pour la saluer alors qu'il était si occupé ! Jennifer fronça les sourcils. Peut-être était-il venu voir Dorinda ou Michael et, ne trouvant ni l'un ni l'autre, s'était-il rabattu sur elle ?

Elle descendit.

— Dieu merci, vous n'êtes pas partie ! s'écria Brendon quand il la vit. J'avais peur d'arriver trop tard !

— Je vous croyais pressé de me voir quitter *Meadowood* ?

Il la prit par la main et la fit s'asseoir sur le canapé.

Il s'installa à côté d'elle et la regarda avec tendresse.

— C'est que je craignais pour votre sécurité ! Si vous saviez combien cela me tourmentait de vous savoir dans cette maison !

— C'était bien gentil de votre part !

— Gentil ? (Brendon eut l'air exaspéré.) J'étais mort d'inquiétude ! J'avais essayé de convaincre madame Latham de faire hospitaliser madame Mainwaring bien avant cela, vous savez ! Comme je n'étais pas certain qu'Ada deviendrait dangereuse, je ne pouvais l'y obliger. Elle m'avait juré que sa sœur ne resterait pas un moment seule…

— Madame Tate était supposée être avec elle, mais sa fille était malade et elle a pris la liberté de s'en aller !

— Je sais. Mais on ne peut lui en vouloir : elle ignorait de quel mal souffrait madame Mainwaring, bien entendu. Quand celle-ci lui a assuré qu'elle allait mieux et qu'elle pouvait rester seule, madame Tate n'a pas récriminé ! Madame Mainwaring attendait l'occasion de se débarrasser de vous… définitivement.

— Cela a failli réussir, dit Jennifer en frissonnant. Si monsieur Latham n'avait pas fait cet étrange rêve…

— Quel rêve ?

Jennifer raconta le rêve prémonitoire d'Alex et rapporta qu'il était arrivé à temps pour la retenir.

— Il faudrait parler de cela à Anton Ross ! dit Brendon en secouant la tête, abasourdi. Je commence à croire qu'il existe beaucoup de choses dont nous, les scientifiques, n'avons pas conscience. Il doit y avoir quelque force occulte au travail…

— Le Destin. C'est ainsi que la nomme monsieur Latham.

— C'est une appellation qui en vaut une autre.

Dès notre première rencontre, par exemple, j'ai eu le sentiment que chacun de nous allait devenir important pour l'autre. N'avez-vous pas eu cette impression, vous ?

Le cœur de Jennifer battait si rapidement qu'elle ne put répondre. Elle acquiesça d'un signe de tête.

— Ça a été une sensation très étrange, vraiment. J'ai d'abord cru que c'était parce que vous ressembliez à ma femme...

Jennifer recouvra la parole...

— Et ce n'était pas le cas ?

— J'ai vite constaté que cette ressemblance était superficielle. Pourtant, cette... cette attirance — appelez ça comme vous voudrez ! — est restée. Elle a même augmenté chaque fois que je vous ai vue. J'ai alors eu la conviction que nous étions vraiment destinés à avoir une très grande importance l'un pour l'autre...

« Oh ! comme il est solennel ! se dit Jennifer. Mais je l'aime ! »

Cela, elle venait d'en prendre conscience...

— Permettez-moi de vous poser une question : pensez-vous que vous pourriez m'aimer un jour ?

Jennifer feignit de s'interroger.

— Je... Pour être franche, je dois dire que j'étais déprimée il y a un moment et que je ne savais pas pourquoi. Maintenant, je sais que c'est parce que j'avais peur de ne plus jamais vous revoir !

— N'est-ce pas ce qu'on nomme l'amour ?

— Oui, ça doit être ça ! répondit Jennifer gravement. Brendon, pourriez-vous faire quelque chose pour moi ?

Brendon sourit largement.

— Je ferais n'importe quoi pour vous !

— Embrassez-moi !

Ils échangèrent un long, un très long baiser.

— Oui, c'est l'amour, Jennifer !... Sais-tu que je croyais que je ne pourrais plus aimer quelqu'un ? Mais je t'aime...

Alex avait dit à Jennifer qu'il y avait sûrement eu une raison à sa venue à *Meadowood*. Maintenant elle connaissait cette raison : elle était venue là pour trouver l'amour !

FIN

Achevé d'imprimer
le 29 octobre 1982
sur les presses
de l'imprimerie Cino del Duca,
18, rue de Folin, à Biarritz.
N° 401.

Dépôt légal n° 490.   Novembre 1982.

Ce mois-ci, vous lirez dans nos collections :